Découverte & Initiation

YOGA

Découverte & Initiation

PROFESSEUR

JENNIE BITTLESTON

evergreen

EVERGREEN is an imprint of TASCHEN GmbH

Hohenzollernring 53, D-50672 Köln
www.taschen.com

Ce livre a été conçu, réalisé et produit par
THE IVY PRESS LIMITED,
The Old Candlemakers, Lewes, East Sussex BN7 2NZ
Directeur artistique *Peter Bridgewater*
Rédactrice en chef *Sophie Collins*
Designers *Kevin Knight, Jane Lanaway*
Directrice de projet *Caroline Earle*
Recherche photographique *Liz Eddison*
Photographie *Guy Ryecart*
Illustrations *Coral Mula, Michael Courtney, Andrew Milne*
Modèles 3-D *Mark Jamieson*

Réalisation de l'édition française:
akapit Verlagsservice Berlin – Saarbrücken (www.akapit.de)
Traduit de l'Anglais par: *Marjolaine Cavalier (akapit Verlagsservice)*
Lecteurs: *Emmanuel Decouard & Sandra Riche (akapit Verlagsservice)*

Printed in China

ISBN 3–8228–2505–0

Les conseils et les méthodes présentés dans ce livre ont fait l'objet de la plus grande attention de la part de l'auteur et de l'éditeur. Néanmoins, ni l'auteur, ni l'éditeur ne peuvent être tenus responsables des conséquences de leurs mise en oeuvre.

SOMMAIRE

Styles de yoga

Les secrets du yoga *présente 50 asanas ou poses classiques que l'on apprend aux débutants dans la plupart des styles de yoga modernes*

MODE D'EMPLOI

Les secrets du yoga est un guide s'adressant aux débutants. C'est aussi un manuel utile pour les enseignants et les adeptes avancés souhaitant s'exercer entre deux cours. Le chap. 1 retrace l'évolution du yoga, le chap. 2 en présente les éléments de base et, au chap. 3, vous découvrirez votre tout premier exercice. Le chap. 4 présente 40 poses classiques dans l'ordre d'apprentissage habituel et le chap. 5 complète l'introduction au yoga en expliquant comment élaborer un programme chez vous

Degrés de difficulté

Dans chaque catégorie, les poses sont de difficulté croissante, indiquée par un symbole

DEBUTANTS pour les novices

INTERMEDIAIRE légèrement plus difficile.Le chapitre 3 a été étudié au moins 1 fois

DIFFICILE poses plus difficiles. Convient à ceux qui ont acquis une certaine souplesse.

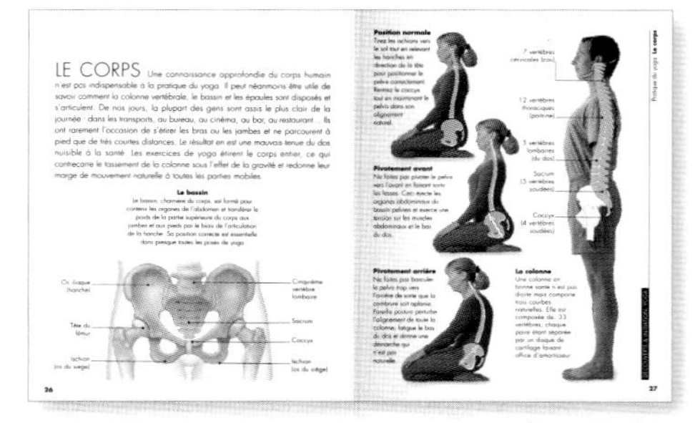

LE CORPS Une connaissance approfondie du corps humain n'est pas indispensable à la pratique du yoga. Il peut néanmoins être utile de savoir comment la colonne vertébrale, le bassin et les épaules sont disposés et s'articulent. De nos jours, la plupart des gens sont assis le plus clair de la journée : dans les transports, au bureau, au cinéma, au bar, au restaurant... Ils ont rarement l'occasion de s'étirer les bras ou les jambes et ne parcourent à pied que de très courtes distances. Le résultat en est une mauvaise tenue du dos nuisible à la santé. Les exercices de yoga étirent le corps entier, ce qui contrecarre le tassement de la colonne sous l'effet de la gravité et redonne leur marge de mouvement naturelle à toutes les parties mobiles.

Le bassin

Position normale

Pivotement avant

Pivotement arrière

La colonne

Introduction

Dans la première partie, le matériel nécessaire, le corps, la respiration et la préparation aux poses vous sont présentés.

Poses

Des illustrations en couleur représentent chaque pose en détail. Un texte clair vous indique le nom de la pose, son but et ses bienfaits. Des figures et légendes numerotées vous guident pas à pas dans l'exécution des poses

LE PORTAIL Dans cette pose appelée **parighasana**, le corps rappelle un portail, le tronc et les bras tendus faisant office de partie transversale. Comme pour le triangle, les flancs sont étirés mais la position agenouillée et l'étirement latéral du tronc la rendent quelque peu plus éprouvante que le triangle.

1 *A genoux sur une couverture pliée, les genoux joints et les bras le long du corps, appuyez les jambes au sol, étirez le devant du corps vers le haut et tirez le siège vers le sol.*

2 *Inspirez puis, en expirant, levez les bras au niveau des épaules, les paumes face au sol. Etirez les bras sur les côtés en tournant la jambe droite vers l'extérieur. Tirez-la vers la droite par la pointe du pied.*

134

3 *Les bras tendus et le tronc de face, inspirez puis, en expirant, inclinez le tronc vers la droite, en partant des hanches, jusqu'à ce que le dos de la main droite touche la jambe.*

4 *Déplacez le bras gauche vers la droite jusqu'à ce que le haut du bras soit au-dessus de l'oreille gauche. Tenez l'étirement pendant 10 secondes maximum.*

Répéter et terminer
Répétez les points 1 à 4, en effectuant l'inclinaison et l'étirement vers la gauche. Retour au point 1, et repos.

Montée du bras

Le tronc doit rester de face et les épaules ouvertes et au même niveau pour que le haut du bras longe la tempe. Entraînez-vous à l'étirer derrière l'oreille.

Poses classiques Poses au sol **Le portail**

DÉCOUVERTE & INITIATION: YOGA

135

Analyse

Des pages en noir et blanc analysent chaque pose. Le texte décrit la pose, des commentaires précisent la position correcte de chaque partie du corps et des flèches la direction dans laquelle l'étirement doit être effectué

Etirement latéral

La pose du portail est un étirement latéral qui incline et étire les hanches et l'abdomen en un mouvement, ce qui en fait un excellent exercice pour amincir l'estomac et la taille. Une pose à genoux, l'étirement du début n'en est pas moins vital pour l'étirement latéral. A genoux, observez donc une pause, ancrez les jambes au sol et étirez-vous de haut en bas : les genoux, l'avant du corps et jusqu'au haut du crâne. Tirez les hanches vers le haut et le siège vers le sol.

Etirement latéral
En levant les bras, prenez conscience de vos épaules. Ouvrez les clavicules en plaquant les omoplates contre les côtes. En inclinant le tronc, veillez à ce que les épaules et les hanches ne s'affaissent pas vers l'avant et gardez les alignées comme si les deux fesses et les deux épaules touchaient un mur. Rentrez le coccyx et maintenez le pied tendu dans l'alignement du genou plié. Inclinez-vous depuis les hanches, le tronc restant de face. Depuis les hanches, étirez le corps entier le plus loin possible sur le côté tout en respirant normalement. Vous devez sentir l'étirement qui remonte de la cuisse à l'articulation de la hanche et aux deux flancs.

Les deux bras doivent être droits et le plus près possible de la tête, au-dessus d'elle. Si au début vous avez du mal à les rapprocher, tenez le bras du haut à la verticale. Avec un peu d'entraînement, les articulations de la hanche et de l'épaule se feront plus élastiques, permettant une inclinaison latérale plus prononcée jusqu'à ce que les paumes se touchent et que le dos de la main inférieure soit posée sur le pied.

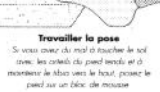

Travailler la pose
Si vous avez du mal à toucher le sol avec les orteils du pied tendu et à maintenir le tibia vers le haut, posez le pied sur un bloc de mousse

136

Nota bene :
- tournez la jambe depuis la hanche en l'étirant sur le côté de sorte que la rotule et le tibia soient orientés vers le haut pendant toute la pose.
- en inclinant le tronc, tournez le visage vers le bras du haut et regardez vers le haut.

Analyse du portail
L'étirement du point 4 n'est efficace que si les indications ci-dessous sont suivies. Notez que le tibia et le pied ne décollent pas du tapis.

Le haut du bras gauche effleure le côté de l'oreille

Le tronc est de face

Tirez la hanche vers l'arrière

Le dos de la main droite repose sur le pied droit

Cuisse perpendiculaire au sol

Jambe tendue, genou tourné vers le haut

Poses classiques Poses au sol **Etirement latéral**

DÉCOUVERTE & INITIATION: YOGA

137

TROISIÈME NIVEAU Ce chapitre comporte certaines des poses de base du chapitre 3, p. ex. le triangle ou l'inclinaison en avant à genoux. La raison en est que le corps, et en particulier les jambes, doit être fortifié pour les poses plus difficiles. Les poses debout en début de chaque programme sont spécialement choisies pour préparer à l'étirement. C'est un programme consacré à l'énergisation : les poses standard du début réveillent le corps cependant que les torsions en arrière stimulent la pensée et le corps. L'accent est mis sur les torsions en arrière qui sollicitent la colonne en les étirant de facon extrême. L'ensemble devrait prendre 75 minutes environ mais il est important de prendre son temps. Répétez ce programme au moins une fois par semaine.

1 Le chien
adho mukha svanasana,
pages 130–131

2 Le triangle
utthita trikonasana,
pages 46–47

3 Le guerrier II
virabhadrasana II,
pages 78–79

210

4 Le guerrier I
virabhadrasana I,
pages 82–83

5 Inclinaison avant debout
uttanasana I,
page 75

6 Le portail
parighasana,
pages 134–135

7 Le héros
virasana,
page 107

8 Le chameau
ustrasana,
pages 178–179

9 Le pont
sarvangasana setu bandha,
pages 170–171

10 La sauterelle
salabhasana,
pages 174–75

11 L'arc
dhanurasana,
pages 182–183

12 Torsion en tailleur
sukhasana twist,
pages 158–159

13 Inclinaison avant à genoux
page 54

14 Le cadavre
savasana I,
pages 64–65

Planifier ses sessions **Troisième niveau**

DÉCOUVERTE & INITIATION: YOGA

211

A la maison

Pour finir vous sont proposés trois programmes élaborés à partir des 50 positions classiques présentées aux chap. 3 et 4.

Pourquoi faire du yoga?

Parmi les nombreux sports de maintien en forme en vogue à notre époque, le yoga fait figure de doyen. Pourtant, son enseignement très répandu dans le monde entier prouve que cet art ancien n'a rien perdu de sa raison d'être au 21ème siècle. C'est un arbre ancestral âgé de plus de 4.000 ans enraciné dans le sol de l'Asie du Sud et qui s'est depuis ramifié tous azimuts. Yoga est synonyme de méditation, de philosophie. C'est un art qui englobe incantations, respiration profonde et rythmique et guérison par l'exercice.

Enseignants contemporains
La popularité du yoga Iyengar, fondé au 20ème siècle par le professeur indien B.K.S. Iyengar, témoigne de l'importance du yoga dans le monde moderne.

Rétablir l'harmonie

Le mot "yoga" signifie "union". C'est ainsi le moyen de rétablir une harmonie que notre époque dissolue a brisée. Il nous apprend à unir le corps à la pensée et la pensée à l'esprit. Il apporte une bonne forme physique, régénère vos énergies et procure un sentiment de bien-être. Le calme et la relaxation qu'il apporte aident à faire face à l'anxiété et au stress, plaies de notre siècle. Il remplace les sautes d'humeur et le surmenage psychique par l'équilibre de l'esprit et la clarté de la pensée. Le présent ouvrage s'adresse aux novices du yoga, à tout ceux qui s'y intéressent, adolescents ou nonagénaires compris, à ceux qui veulent s'initier par eux-mêmes chez eux ou se maintenir à niveau entre deux cours. Il explique quand, où et comment s'entraîner, donne les bases des styles classique et moderne et présente 50 poses classiques communes aux deux.

Attention

En cas d'antécédants médicaux, consultez votre médecin. Le professeur doit être expérimenté et connaître votre condition physique.

- Renoncez aux poses debout si avez une surtension artérielle ou une maladie du coeur.
- Renoncez aux poses assises si vous avez subi une opération de la hanche.
- Renoncez aux mouvements vers l'avant, le côté ou aux torsions du tronc en cas de problèmes de dos ou d'hernie discale.
- Evitez toute pose renversée pendant les règles ou si vous êtes sujet aux vertiges, à des problèmes au niveau des yeux, des oreilles, des sinus, de la tête, du cou ou du dos et en cas d'hypertension ou de migraines.
- Ne maintenez jamais une position douloureuse ou inconfortable (risque de blessure).
- Renoncez aux torsions du dos si vous souffrez de maladie cardiaque ou de surtension artérielle, d'hernie discale ou autre problème de dos.
- Si vous souffrez des genoux, renoncez aux poses à genoux et aux torsions du dos
- Si vous souffrez d'ostéoporose ou de raideur dorsale, exécutez étirements et torsions avec une extrême prudence et renoncez aux torsions du dos, aux poses renversées, au navire entier ou partiel.
- Evitez le yoga si vous êtes enceinte.

STYLES ET ÉCOLES

On estime que l'évolution du yoga s'est étalée sur quelque 4000 années au cours desquelles il s'est ramifié en de nombreuses écoles. Les unes mettent l'accent sur la pensée et la méditation, les autres sur les exercices et la respiration. Ce chapitre retrace l'histoire du yoga, depuis ses origines sur le sous-continent indien il y a 4000 ans jusqu'à sa propagation à l'échelle mondiale au 20ème siècle. Seront présentés certains visionnaires yoga de par le passé dont les écrits ont inspiré les grandes écoles classiques. Il se clôt en mentionnant des professeurs du 20ème siècle, fondateurs de styles et d'écoles qui ont repris le flambeau du yoga jusqu'à son 5ème millénaire d'existence.

La philosophie du yoga

Dans le monde occidental, le yoga est souvent considéré comme un ensemble d'exercices de maintien en forme et de prévention des maladies. L'exercice physique est certes important, mais le yoga possède une dimension mentale faisant aussi intervenir la pensée et l'esprit.

Au départ, le yoga était une philosophie. Ce n'est que plus tard que se développèrent les exercices physiques ou "asanas". Secondant la concentration de l'esprit, ils permettent d'approfondir la méditation. Le but ultime du yoga a toujours été l'union avec la pensée ou conscience universelle pour certains, pour d'autres avec Dieu. Aujourd'hui, la méditation fait encore partie intégrante de l'enseignement de bon nombre d'écoles. Il en est cependant qui la considèrent comme une technique avancée non appropriée aux débutants.

Prendre conscience *du règne naturel et être réceptif à l'influence bénéfique que la nature a sur nous.*

Le chemin du yoga

Le yoga n'est pas une religion bien que de grand penseurs et professeurs aient influencé son évolution. Ils ont énoncé des principes pleins de bon sens pour vivre dans la paix et la santé. Ils ont en commun le principe de non-violence. Le yoga se propose d'instaurer la paix intérieure et l'harmonie entre le corps et l'esprit.

Les asanas, les exercices de respiration, de relaxation et de concentration sont les instruments d'une recherche de soi par introspection. C'est un voyage spirituel au coeur de soi-même et au-delà.

Règles de vie

Patañjali fut un sage qui vécut il y a quelques 2000 ans. Nous lui devons des écrits, les *Sutras* du *Yoga* (sutra signifie maxime). Il dispense des conseils simples pour mener une vie utile et gratifiante. Citons-en dix des plus connus :

LES CINQ YAMAS
ou comment être bon envers autrui

1 Ne pas recourir à la violence, que ce soit par sa pensée, ses parole ou ses actions.

2 Ne pas voler

3 Ne pas convoiter les possesions et les performances d'autrui.

4 Ne pas mentir mais vivre dans la vérité.

5 Pratiquer l'auto-restriction, ne pas s'adonner à l'excès et à la débauche sexuelle.

LES CINQ NIYAMAS
ou comment être bon envers soi-même

1 Vivre dans la pureté de l'âme et la propreté du corps

2 Se détacher des objets de son désir.

3 Accepter sa situation dans la vie.

4 Réciter les paroles sacrées des grands maîtres.

5 Etre dévoué à une déité personnelle ou à la conscience universelle.

Bouddha
Gautama Bouddha est considéré par certains comme le premier yogi.

ART ANTIQUE

Les origines du yoga sont enfouies dans l'histoire. Une hypothèse historique veut que les idées fondatrices du yoga aient pris forme dans le sud-ouest de l'Asie il y a plus de 3000 ans avant d'être colportées vers le sud du continent par des tribus en migration. Des objets d'art datés à -1500 environ provenant de la vallée de l'Indus représentent des personnes en méditation. Les Upanishads (-900 à -400 ans) sont les écrits sur le yoga les plus anciens qui nous soient parvenus.

Yoga Karma
La Bhagavad Gita (Chant du Seigneur), *conte épique touchant de la bataille que se livrèrent deux clans fut rédigé aux alentours de -300. Il évoque le yoga karma, qui prône le désintéresement pour fair face aux difficultés de la vie.*

Lieu de naissance de Bouddha

C'est dans les collines de l'Himalaya que naquit Gautama Buddha aux environs de 550 av. JC, époque florissante au plan intellectuel et religieux. Sage itinérant, il trouva l'illumination en suivant les préceptes du yoga raja.

Position du lotus

Les anciens sages étaient souvent représentés méditant en tailleur dans la position dite du lotus ou padmasana. Une fois maîtrisée, cette posture passive assise est confortable et libère l'esprit à la concentration

Yoga raja

La forme première du yoga était la méditation. Dans l'art oriental ancien, on trouve souvent Bouddha représenté en méditation, les jambes croisées, dans l'une des positions assises classiques. C'étaient là les premiers asanas, adoptés par les sages car ils leur permettaient d'effectuer de longues séances de méditation assise immobiles. Cette forme de yoga première pratiquée par Bouddha existe toujours de nos jours. On l'appelle raja yoga, "le roi des yogas", parce que tous les yogas mènent à lui. Par la méditation profonde, les adeptes du Raja yoga, individus ou communautés, explorent le royaume de la pensée abstraite pour atteindre une union mystique avec l'univers.

Écoles Classiques

L'arbre généalogique du yoga comporte de longues ramifications. En effet, outre les milliers de personnes qui pratiquent des yogas modernes basés sur les exercices physiques, on compte aussi les adeptes des grandes écoles classiques. La plupart d'entre elles virent le jour au cours du premier millénaire av. J.-C. qui vit des libres penseurs s'affranchir des églises établies pour vivre en ascète selon leur propre philosophie.

Kapila

Ce sage, qui vécut il y a quelques 2,750 ans, fut le fondateur de la philosophie samkhya qui enrichit le yoga des concepts de force et d'énergie vitales.

ANTÉRIEURS À 1000 AV JC

YOGA RAJA

La méditation en position assise les jambes croisées, originaire de Perse, gagne le sous-continent indien puis est colportée vers le sud par des peuples de langue dravidienne. Le yoga Raja est pratiqué par des philosophes en quête d'unité mystique avec la conscience ou le savoir universels.

ENV. -900

YOGA JNANA

Le yoga jnana ("djiyana") ou yoga de la sagesse naquit de la recherche du savoir menée par des philosophes. Leurs idées sont présentées dans le Upanishads, un ensemble d'écrits innovants relatant le premier récit de la pratique du yoga. Le yoga Jnana aiguise la connaissance intuitive par la méditation.

ENV. -500

Gautama Buddha et ses disciples pratiquent le yoga raja visant à atteindre le nirvana ou dissolution de l'individu dans l'unité universelle.

BUDDHA

ENV. -300

YOGA KARMA

Le sage Vyasa rédige son *Bhagavad Gita (Chant du Seigneur)*, dans lequel il présente son yoga karma, yoga de l'action, dans une conversation la veille de la bataille entre Arjuna, chef guerrier, et la divinité Krishna. Ce yoga souligne l'importance pour l'avenir de prendre la bonne décision au bon moment.

Le premier millénaire av. J.-C. connut l'émergence de nouvelles pratiques, au nombre desquelles les incantations, le chant de mantras tels que "om" ou la contemplation de figures géométriques appelées mandalas. C'est de cette nouvelle vague de pensée nouvelle que se profila le yoga hatha, la dernière grande école de yoga classique. "Ha" signifie "soleil" et "tha" signifie "lune". Ce nom se réfère aux exercices de respiration appelés pranayama, ayant pour but d'unir la pensée au corps. Le yoga Hatha fut la première école qui combinât les asanas aux exercices de respiration favorisant la concentration pour méditer. Aux alentours de 1400, le sage Svatmarama rédigea son *Hathapradipika* (*compendium du Yoga Hatha*), premier guide écrit du yoga hatha.

ENV. -200

Le sage Patañjali rédige les *Sutras du yoga*, traitant de la méditation et de la pratique du yoga. C'est le premier manuel de yoga

PATAÑJALI

ENV. 300

YOGA TANTRA

Asanga, philosophe bouddhiste, est à l'origine de la philosophie tantra. Dans sa conception du yoga, les sens et l'imagination peuvent être le moyen d'atteindre un état d'extase de nature à susciter l'illumination. Les mantras, le chants de paroles sacrées, favorisent la méditation.

ENV. 1000–1200

YOGA BHAKTI

Le sage Ramanuja est l'instigateur du yoga bhakti, yoga de la dévotion à un dieu personnel. Il nous enseigne la dévotion à un Brahmane Suprême, créateur de l'univers, présence qui nous aime et nous comprend. En servant Dieu et autrui, par la prière et la foi, l'adepte aboutit à l'illumination.

ENV. 1000

YOGA HATHA

L'importance des exercices physiques au cours de l'ère tantra a préparé l'avènement du yoga hatha. La première, cette école reconnut que les asanas, la respiration, la purification et la visualisation étaient d'une aide véritable dans l'union à la conscience universelle.

Le yoga gagne du terrain

Au cours du 20e siècle, l'arbre du yoga s'est ramifié dans tout le monde occidental.

STYLES CONTEMPORAINS

Le dernier chapitre de l'histoire du yoga s'ouvrit dans les années1800 alors que des occidentaux séjournant en Inde s'intéressèrent à cette discipline. Dès 1900, des yogis d'Inde voyagèrent en Occident et au milieu du siècle, Paramahansa Yogananda, auteur de la célèbre *Autobiographie d'un Yogi*, s'installait aux Etats-Unis. C'est l'école classique du yoga Hatha qui devait influencer le monde moderne, séduisant par l'importance qu'elle attache aux asanas, à la respiration et aux bienfaits guérisseurs. Après la seconde guerre mondiale, nombreux furent les occidentaux qui se rendirent en Inde pour y étudier le yoga hatha et vénérer des professeurs indiens, dont B.K.S. Iyengar.

Iyengar

B.K.S. Iyengar a allié le yoga hatha avec les connaissances occidentales détaillées du corps humain pour fonder un yoga reposant sur la précision des positions et des mouvements.

Pionnier

B.K.S. Iyengar fut le premier à enseigner le yoga à des groupes mixtes en Inde dans les années 1940s. Iyengar élabora son propre style de yoga et fonda l'institut Iyengar à Poona qui compte aujourd'hui des filiales dans de nombreux pays occidentaux.

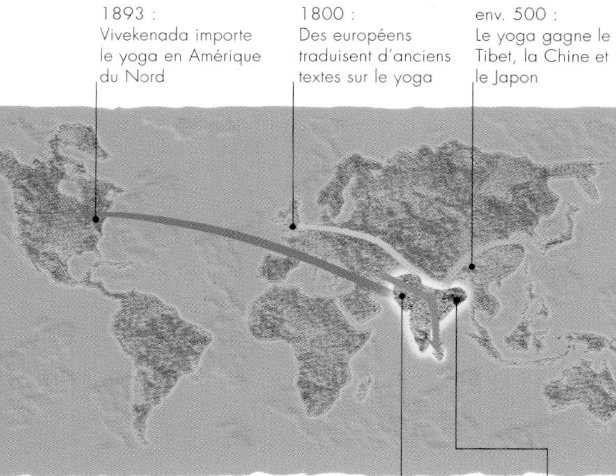

La propagation du yoga

A l'époque moderne, le yoga s'est propagé vers l'est au-delà du sous-continent indien ainsi que vers l'ouest. Aujourd'hui, sa popularité mondiale prouve son importance dans nos styles de vie marqués par le stress.

Le Yoga du 21ème siècle

À l'origine, le yoga était un art guérisseur dont le but était de dissiper des disharmonies entre la pensée et le corps de nature à entraver le cheminenent de l'individu vers la plénitude et la compréhension universelle. Ces disharmonies peuvent se traduire par des raideurs ou des maladies physiques, par des sentiments de mécontentement ou d'anxiété. Au cours des siècles, des sages yogi découvrirent comment les soulager et en venir à bout en effectuant des exercices d'étirement tout en douceur, de respiration lente et rythmée, apaisants pour la pensée, et en recourant à des techniques de visualisation et de méditation qui favorisent la concentration.

Guérison mentale

Le yoga assagit le tumulte de la vie au 21ème siècle, apportant à l'individu paix et épanouissement

Pas une ride

Aujourd'hui, tout comme jadis, nous négligeons notre corps, nous faisons violence et tombons malades. En découle frustration, énervement et mécontentement. Le yoga garde toute sa raison d'être car il donne des réponses aux difficultés de la vie moderne. Aujourd'hui sont prisés les yogas qui mettent l'accent sur les étirements et le mouvement. Nous passons en effet le plus clair de notre temps assis. Or si les os, les articulations et les muscles ne subissent pas d'étirement et de mouvement, le corps se détériore. Le yoga rend leur souplesse au dos, au cou et aux membres raides. Il aide le corps à se remettre de ses efforts et de ses traumatismes. Pratiqué régulièrement, il a un effet revigorant sur la santé et prévient les maladies.

Nombre de nos contemporains réagissent contre le stress, la concurrence et la promiscuité au quotidien et trouvent dans le yoga le remède aux effets du stress sur la pensée et le corps. Des expériences menées aux Etats-Unis ont démontré que la respiration du yogi, combinée à la visualisation et la concentration, lui permet de réduire son rythme cardiaque et sa pression artérielle.

Plus qu'un simple ensemble d'exercices, le yoga est une pratique holistique. Le yogi débutant dompte les puissances du corps et de la pensée pour calmer les nerfs. Il lutte contre le stress, ce qui permet au corps de retrouver son fonctionnement normal. La respiration rythmique et les techniques de méditation corroborent ce processus de guérison. Elles sont centrales dans le yoga hatha. Dans le yoga Iyengar, leur enseignement est réservé aux adeptes avertis.

YOGA PRATIQUE

A la différence des autres sports actuellement en vogue, le yoga est un art minimaliste ne nécessitant pratiquement aucune dépense ou préparation. Le seul attribut indispensable est votre corps. Aucune tenue spéciale ou autre équipement n'est nécessaire pour un art qui peut se pratiquer presque n'importe où. Ce chapitre propose de répondre aux questions primordiales relatives au lieu, à la fréquence et la durée des sessions, aux parties du corps qui demandent une attention particulière ainsi qu'à la respiration et la relaxation. Le yoga étant une discipline holistique faisant intervenir autant la pensée que le corps, ce chapitre se clôt sur l'approfondissement de la compréhension de soi et de sa pensée que permet le yoga et dévoile sa dimension spirituelle.

Préparation

Si vous venez de vous mettre au yoga, seul chez vous ou que vous vouliez travailler des positions, le lieu recherché doit répondre aux exigences suivantes : espace et tranquillité maximum. Pratiquer le yoga en plein air peut être tentant mais il est cependant déconseillé de le faire en plein soleil. La circulation et les chantiers peuvent de plus être une source de distraction. Dans un foyer moderne, il peut s'avérer difficile de trouver un coin où pratiquer sans être dérangé par le téléphone, la sonnette, etc... La chambre, la salle de bain, un bureau ou même un débarras peuvent faire l'affaire. Accrochez un panneau "ne pas déranger" à votre porte.

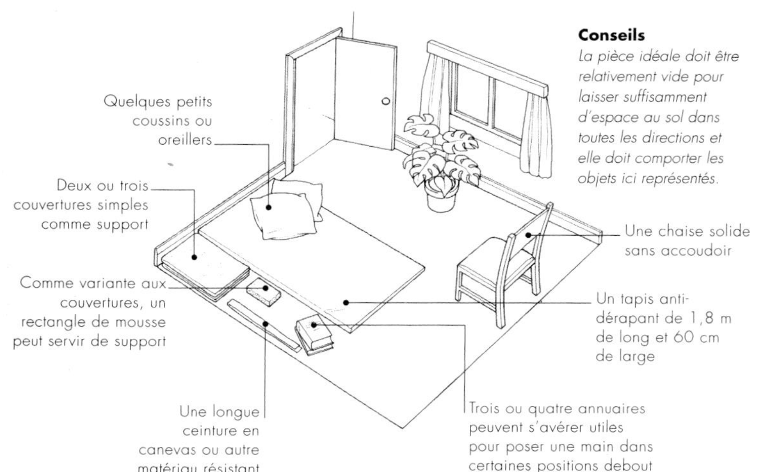

Conseils

La pièce idéale doit être relativement vide pour laisser suffisamment d'espace au sol dans toutes les directions et elle doit comporter les objets ici représentés.

Prendre le temps

Vous pouvez pratiquer aussi souvent que vous le souhaitez, mais avec assiduité. N'essayez pas de trop en faire au début. Le mieux est de se fixer une heure un jour de la semaine et de s'y tenir. Commencez par des sessions d'une demi-heure que vous pourrez ensuite allonger au besoin. Certains préfèrent faire une courte session chaque jour, tôt le matin ou avant d'aller au lit, et une session hebdomadaire plus prolongée.

Le yoga a très peu de règles. Certaines poses, telles la pose du héro au sol, facilitent la digestion et peuvent être effectuées directement après un repas. Pour la plupart des autres poses en revanche, attendez quatre heures après un bon repas ou deux heures après un repas léger. Portez des vêtements amples qui ne vous limitent pas dans vos mouvements : tee-shirt, juste au corps, pantalon de jogging, sweat. Pratiquez pieds nus. Attachez vos cheveux s'ils sont trop longs.

LE CORPS Une connaissance approfondie du corps humain n'est pas indispensable à la pratique du yoga. Il peut néanmoins être utile de savoir comment la colonne vertébrale, le bassin et les épaules sont disposés et s'articulent. De nos jours, la plupart des gens sont assis le plus clair de la journée : dans les transports, au bureau, au cinéma, au bar, au restaurant… Ils ont rarement l'occasion de s'étirer les bras ou les jambes et ne parcourent à pied que de très courtes distances. Le résultat en est une mauvais tenue du dos nuisible à la santé. Les exercices de yoga étirent le corps entier, ce qui contrecarre le tassement de la colonne sous l'effet de la gravité et redonne leur marge de mouvement naturelle à toutes les parties mobiles.

Le bassin

Le bassin, charnière du corps, est formé pour contenir les organes de l'abdomen et transférer le poids de la partie supérieure du corps aux jambes et aux pieds par le biais de l'articulation de la hanche. Sa position correcte est essentielle dans presque toutes les poses de yoga

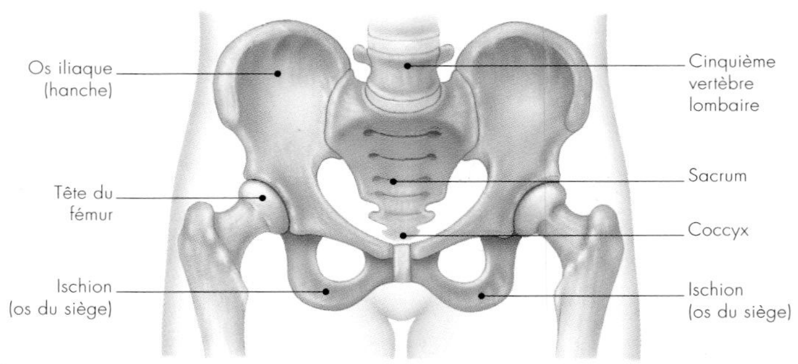

Position normale

Tirez les ischions vers le sol tout en relevant les hanches en direction de la tête pour positionner le pelvis correctement. Rentrez le coccyx tout en maintenant le pelvis dans son alignement naturel.

Pivotement avant

Ne faites pas pivoter le pelvis vers l'avant en faisant sortir les fesses. Ceci éjecte les organes abdominaux du bassin pelvien et exerce une tension sur les muscles abdominaux et le bas du dos.

Pivotement arrière

Ne faites pas basculer le pelvis trop vers l'arrière de sorte que la cambrure soit aplanie. Pareille posture perturbe l'alignement de toute la colonne, fatigue le bas du dos et donne une démarche qui n'est pas naturelle.

7 vertèbres cervicales (cou)

12 vertèbres thoraciques (poitrine)

5 vertèbres lombaires (du dos)

Sacrum (5 vertèbres soudées)

Coccyx (4 vertèbres soudées)

La colonne

Une colonne en bonne santé n'est pas droite mais comporte trois courbes naturelles. Elle est composée de. 33 vertèbres, chaque paire étant séparée par un disque de cartilage faisant office d'amortisseur.

Respiration et relaxation

La respiration est un processus à la fois physique et mental, un lien entre le corps et la pensée. Une respiration à un rythme normal alimente le sang en oxygène et autres substances qui assurent le bon fonctionnement du corps et du cerveau. Une respiration rapide ou hyperventilation réduit l'alimentation du cerveau en oxygène, ce qui provoque vertiges et troubles du rythme cardiaque, tensions, paniques et trous noirs. Ralentir la respiration au rythme naturel rétablit le calme et un fonctionnement normal.

De bonnes habitudes respiratoires

Respirer correctement est un aspect essentiel de toutes les poses de yoga. Il est donc important de prendre de bonnes habitudes dès le début. Les personnes particulièrement exposées au stress ont souvent une respiration rapide. Le yoga aide à rétablir des schémas de respiration normaux.

Pour exécuter une asana, les instructions mentionnent souvent une "respiration normale". Cela peut sembler être une évidence, mais en se concentrant sur un mouvement, il peut paraître naturel de retenir sa respiration, ce qu'il faut essayer d'éviter. Respirez par les narines, sauf si vos voies nasales sont bouchées, auquel cas vous respirerez par la bouche.

Les explications relatives aux figures de chaque pose indiquent quand inspirer et expirer. L'expiration se fait habituellement pendant l'effort, par exemple en se relevant ou se penchant

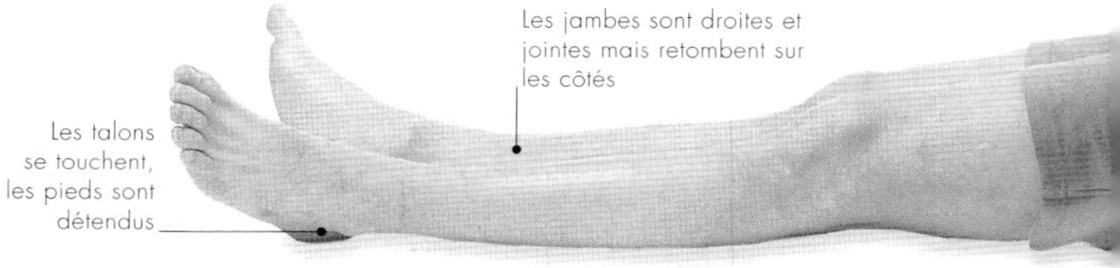

Les jambes sont droites et jointes mais retombent sur les côtés

Les talons se touchent, les pieds sont détendus

en avant. Inspirez, exécutez le mouvement en expirant, puis reprenez une respiration normale.

Respiration et relaxation

Les étirements, combinés à une respiration rythmée, sont une source de détente pour le corps et la pensée. La relaxation, essentielle au yoga, inaugure chaque session, en position assise en tailleur par exemple. Toute pose difficile doit aussi être suivie d'un moment de repos, en position debout, à genoux ou allongée.

La position du cadavre

Savasana I, analysée en détails pages 64–65, aide à la détente du corps et de la pensée dans les moments de stress et de tension importants.

Les bras reposent le long du corps, légèrement écartés, les paumes tournées vers le haut

Tête dans l'alignement du corps

Union spirituelle
Le mot "yoga" signifie union spirituelle entre l'individu et le monde qui le dépasse.

PENSÉE ET ESPRIT

L'apprentissage des asanas et la régulation de la respiration apportent une sérénité qui favorise la concentration. La maîtrise de ces deux aspects sont les garants du progrès. La concentration est la capacité à fixer son attention sur une pensée ou une action donnée. Maintenir une posture de yoga est donc un bon entraînement pour améliorer ses capacités de concentration. L'incapacité à se concentrer dans la vie de tous les jours est en effet un problème majeur. La maîtrise de cette aptitude permet d'accéder à la dimension spirituelle, méditative du yoga. Car méditation est synonyme de concentration totale.

Liberté de l'esprit
L'ultime but du yoga est de libérer la pensée des restrictions que lui impose le corps physique pour permettre à l'esprit d'accéder à de nouveaux niveaux de conscience.

Exercice de concentration

La pratique du yoga mobilise tout votre être dans les actions de votre corps. C'est pour cette raison qu'on dit que le yoga est une forme de méditation par l'action. Cette pose assise en tailleur est par exemple idéale pour favoriser la concentration. Aussi simple qu'elle en ait l'air, elle exige de l'esprit de se concentrer sur les nombreux détails de la posture tels que la position des genoux et l'étirement du dos vers le haut.

Tenir la tête droite aide la circulation du sang vers le cerveau et rend la respiration plus efficace

Une respiration rythmée par les deux narines favorise la concentration

Les paumes sont jointes

Maitrîse des émotions

Faire du yoga, c'est se ménager des plages de tranquilité, laisser sombrer les impressions négatives pour permettre aux rythmes naturels de la pensée de s'affirmer. Le yoga permet de canaliser les tumultes de l'âme en se concentrant sur un étirement. Porter son attention sur des positions et des mouvements précis aide à se délester de ces émotions plutôt que de les extérioriser par la violence. Colère et ressentiment s'en voient dissipés, les idées noires s'éclaircissent et les blessures ou les malaises psychiques sont apaisés. A l'issue d'une séance de yoga dans la concentration, le corps et l'esprit s'emplissent d'un sentiment de bien-être et de tranquillité

Enrichissement

Le yoga enrichit la vie intérieure qui affranchit le bonheur personnel des événements extérieurs

Tranquillité

Rétablir le calme dans un monde de plus en plus turbulent, tel est le plus grand bienfait du yoga. Nous sommes en effet confrontés au stress à bien des niveaux. Nombreuses sont les victimes de ce harcèlement qui souffrent souvent de dépressions. Ruptures, gestes d'agressivité (pouvant entre autres s'exprimer au volant), hausse de la criminalité en sont les symptômes. Une personne tranquille et qui rayonne l'harmonie intérieure a un effet bénéfique sur son entourage, elle calme et rassure dans les situations tendues.

Le yoga est un exercice de maîtrise de soi qui commence par le contrôle du corps et enchaîne sur celui de la respiration. L'apprentissage de la concentration, c'est-à-dire la maîtrise du cheminement de ses pensées, est une préparation à la maîtrise de ses émotions. A longue échéance, le yoga aide à relativiser ses émotions. Ses adeptes ne cessent pas pour autant d'avoir des sentiments, mais les déceptions de la vie les affectent dans une moindre mesure, ils sont moins anxieux et leur bonheur est moins tributaire de facteurs extérieurs tels que l'argent, la réussite et la chance. Le besoin perpétuel d'émotions, de gratification et d'excitation se voit remplacé par un sentiment de paix intérieure et de satisfaction

Cette étape dans le développement émotionnel s'appelle pratyahara, ce qui signifie l'affranchissement de la dominance des sens. C'est la cinquième étape dans le cheminement du yogi tel que le définit le sage Patañjali. Une fois le pratyahara atteint, l'adepte pourra s'adonner à la méditation profonde ou dhyana, qui pourra lui permettre d'atteindre l'état de samadhi ou union avec la conscience ou esprit universel, but final de tous les yogas.

PREMIERE SEANCE

Ce premier chapitre présente dix poses qui, exécutées dans l'ordre indiqué, sont une bonne introduction au yoga. Cet ensemble constitue une séance complète de 20 à 30 minutes. Avant de commencer, lisez impérativement les précautions à prendre p.9. Ce programme, effectué dans l'ordre donné deux à trois fois par semaine en veillant à reproduire avec précision la position des pieds, des bras et d'autres parties du corps, fortifiera vos muscles, assouplira vos articulations et vous mettra en confiance. Comme toute séance de yoga, ce programme sera suivi de cinq à dix minutes de relaxation totale en position du cadavre.

Comment commencer

Les pages suivantes présentent dix positions de base, assises et allongées, puis debout, comme par ex. la tadasana ("la montagne"). Une exécution correcte des postures debout améliore votre tenue de dos et peut venir à bout des douleurs engendrées par son affaissement. Les positions debout ensuite abordées étirent les jambes et la colonne et, à longue échéance, fortifient le corps entier.

Repos entre deux positions

Après un étirement éprouvant, reposez-vous pendant quelques secondes dans une autre position, étirement vers l'avant debout ou assis ou tadasana

Pas à pas

Les dix positions suivantes, exécutées dans l'ordre indiqué, font une bonne première séance pour un débutant. Abordez-les progressivement, l'une après l'autre. Les instructions données en légende ont pour but d'éviter des efforts inutiles. Il convient donc de les observer et de ne maintenir un étirement que dans la mesure où il n'est pas douloureux.

Le triangle, l'angle latéral étendu et l'arbre (cf. p. 46–53 et 58–61) se font d'un côté, puis de l'autre. Pour le triangle p. ex., l'étirement se fait d'abord sur la droite, puis sur la gauche. En position du tailleur (p. 38), placez le tibia droit sur le gauche, puis inversement.

Prenez votre temps, allez jusqu'au bout de chaque mouvement, à votre rythme. Ne forcez pas un étirement s'il est douloureux. Il est normal que des articulations et des muscles restés longtemps inactifs soient raides. Arrêtez immédiatement toute position ou mouvement douloureux. La règle est de ne pas dépasser ses limites, d'étirer tant qu'aucune douleur ne se manifeste, puis de se reposer. Vous irez peut-être plus loin la prochaine fois!

Sortir d'une position

Chaque pose doit être répétée pas à pas en sens inverse jusqu'à ce que vous vous retrouviez en position de départ. A l'issue de chaque séance, observez quelques minutes de relaxation totale en position du cadavre. A l'avenir, veillez à ce que cette position reposante agrémente la fin de chaque séance.

Conseils de respiration

En effectuant les positions de yoga, respirez normalement et n'oubliez pas de :

• ne pas retenir votre respiration en vous concentrant sur les mouvements.

• inspirer avant l'étirement ou autre effort et expirer pendant le mouvement.

• respirer par le nez, à moins d'avoir un rhume, de la fièvre ou une sinusite.

• en fin de séance, lors de la détente en position du cadavre, apaiser la respiration en vous concentrant sur son rythme .

POSITIONS DEBOUT ET ASSISE

La position assise en tailleur, **sukhasana**, représentée ci-dessous, sert de base à beaucoup de positions assises. Pratiquée régulièrement, elle renforce le dos et rend les hanches plus flexibles. La position ci-contre, **supta tadasana**, "la pose de la montagne allongée" qui semble être une contradictoire, n'est autre que la position de base debout exécutée au sol. C'est un bon étirement qui détend le bas du dos.

Position du tailleur

1 *Asseyez-vous droit, les mains à côté des hanches, les jambes tendues devant vous, les orteils tournés vers le haut. Appuyez sur les jambes et les mains, redressez la colonne, et repliez la jambe gauche, puis la droite en croisant le tibia droit sur le gauche.*

Tête droite

Regard fixé devant soi

Faites les épaules larges et laissez-les retomber, détendues

2 *Laissez se détendre les jambes jusqu'à ce qu'elles touchent le sol, étirez la colonne vers le haut et poser les mains sur les cuisses. Maintenez cet étirement assis 20 secondes et faites de même en croisant le tibia gauche sur le droit.*

Appuyez sur les genoux

Etirement allongé

1 *Allongez-vous les jambes droites, la plante des pieds contre un mur et les bras le long du corps, paumes tournées vers le haut.*

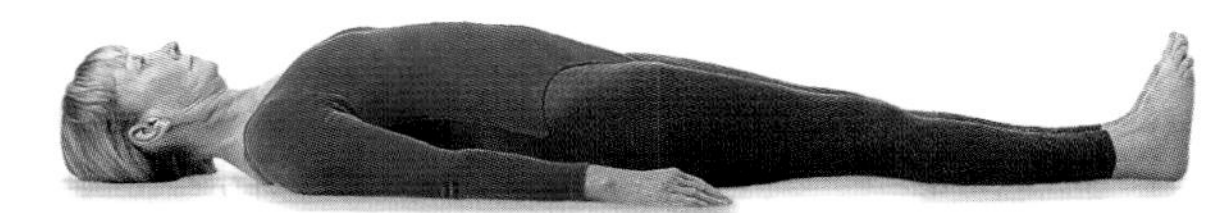

2 *Repliez les jambes et ajustez la position du pelvis en repliant les genoux et les amenant à la poitrine. Allongez ensuite les jambes jusqu'à ce que vos talons touchent le sol et que la plante de vos pieds soient appuyées contre le mur.*

3 *Soulevez les bras par dessus votre tête jusqu'à ce que le dos des mains touchent le sol derrière. Appuyez les jambes dans le sol, étirez-vous de l'aine jusqu'au bout des doigts et du bas du dos jusqu'aux pieds pendant 20 secondes maximum puis détendez-vous.*

Poses au sol: Introduction

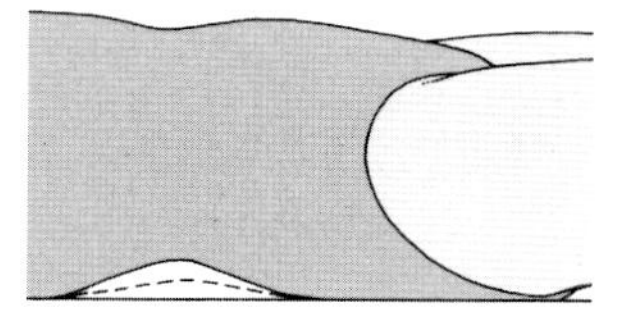

Alignement de la colonne
Si le bas de votre dos se cambre quand vous êtes allongé, les exercices risquent de trop le solliciter. Pour réduire cette cambrure, repliez les genoux sur la poitrine avant d'allonger les jambes.

Le Bouddha est souvent représenté en train de méditer en position du lotus, chaque pied sur la cuisse opposée. C'est là une position assise parmi tant d'autres, telle celle du tailleur décrite page 38, plus simple à exécuter. Dans toutes les positions assises, le bas de la colonne doit être droit et étiré vers le haut. S'il vous est encore difficile de redresser le bas du dos, asseyez-vous sur une couverture pliée 3 ou 4 fois ou sur un bloc de mousse. Les muscles de votre dos seront ainsi soutenus pendant que vous travaillez à les fortifier.

Alignement de la colonne

S'asseoir sur un bout de mousse ou une couverture pliée 2 ou 3 fois rehausse aussi le bassin, ce qui favorise l'alignement des genoux. Lorsque vous croisez les jambes, les genoux doivent être à la même distance du tapis que les hanches, ce qui, au début, peut être difficile. Etre assis en position rehausée facilite l'abaissement des genoux. Si vous avez les genoux ankylosés, soutenez-les avec une couverture pliée.

Positions allongées

Beaucoup de positions de yoga se font au sol. Supta tadasana, l'étirement

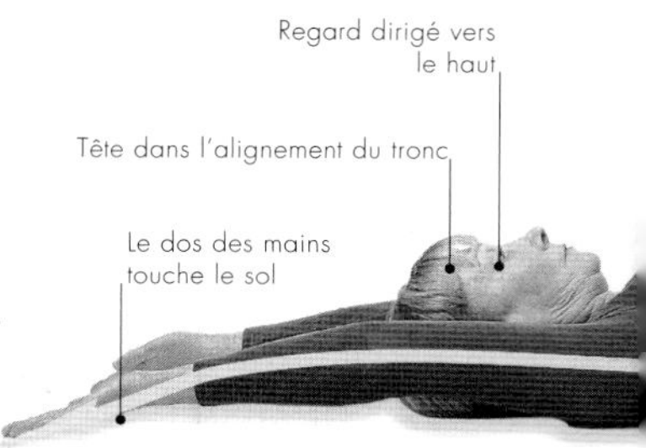

allongé de la p. 39, en est un merveilleux exemple. Poussez les os du siège (cf. p. 26–27) en direction de vos pieds, enfoncez jambes et talons dans le sol et étirez-vous des hanches à la tête, les bras jusqu'au bout des doigts et les jambes, tout en gardant les pieds appuyés contre le mur.

Analyse de l'étirement allongé

Etre allongé au sol paraît trop simple pour mériter analyse. La pose n'aura toutefois son effet salutaire que si vous suivez les instructions indiquées ci-dessous.

Nota bene :

- la cage thoracique reste dans son alignement naturel quand vous vous étirez en position assise ou allongée, de sorte que les côtes inférieures ne soient pas saillantes.
- tirez les os du siège en direction du sol en position assise et en direction des pieds pendant l'étirement allongé, quand vous levez les os de la hanche en direction de la tête.
- en étirant la colonne, les épaules restent ouvertes mais détendues de sorte que les omoplates restent plaquées contre les côtes.

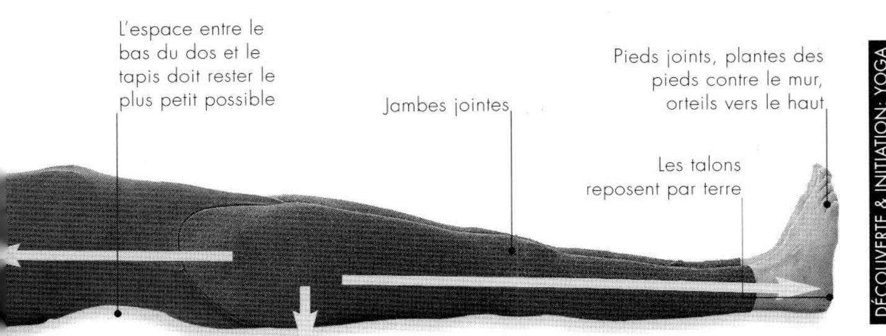

Position de la montagne
ou tadasana, ainsi appelée parce que celui qui l'adopte se tient droit et immobile, tel une montagne.

DEBOUT

Tadasana, ou la pose de la montagne, peut être exécutée autant à l'intérieur qu'à l'extérieur, en attendant un train ou en faisant la queue. C'est la base d'une posture correcte, et par là d'une bonne santé. Adopter cette pose régulièrement corrige les mauvaises tenues du dos et soulage les douleurs du dos et des articulations en redonnant au corps une sensation de santé et de légèreté. Elle approfondit la compréhension de toutes les autres poses de yoga.

Points d'équilibre
Ecartez les pieds en longueur et en largeur, en étirant les orteils vers l'avant et répartissez le poids du corps équitablement entre les quatres points d'équilibre situés sur la plante du pied et représentés ci-contre.

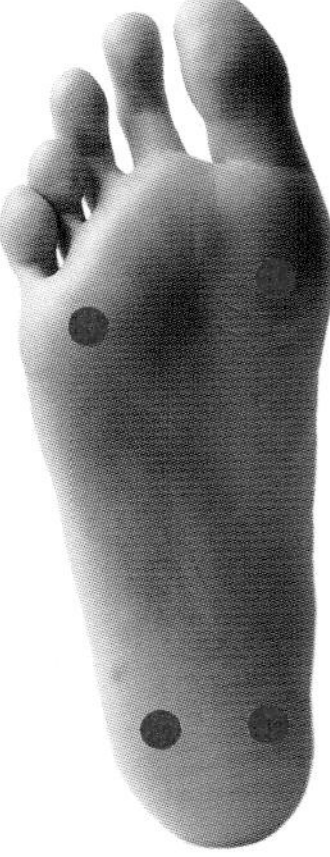

Tout en maintenant les côtes en position normale, soulevez le sternum et ouvrez le haut de la poitrine et les épaules. Tirez les épaules vers l'arrière et le bas en plaquant les omoplates.

Dressez la nuque de sorte que la tête et la colonne soient alignées. Positionnez votre menton parallèlement au sol en regardant devant vous. Tenez cette position pendant 20 secondes environ en respirant doucement.

Tendez les jambes, relevez le tronc depuis les hanches et tirez les os du siège vers le bas. Contractez les muscles de la cuisse pour les repousser en arrière.

Joignez les pieds en répartissant le poids équitablement entre la métatarse et le talon des deux pieds. Les gros orteils, les talons, les chevilles et les genoux se touchent, les bras sont détendus le long du corps.

Les pieds d'abord

Commencez la tadasana en pensant à la position des pieds et à la pression que votre poids exerce sur le sol. Positionnez ensuite les autres parties du corps en remontant les jambes, les hanches, le tronc, les épaules et pour finir, la tête. En tenant la pose, tenez-vous aussi droit et immuable qu'une montagne.

Mieux se tenir

Une colonne droite est la clé de voûte d'une posture correcte, ce qui ne veut pas dire qu'elle doit être droite comme un i. Une colonne bien formée part du sacrum, l'os en forme de bouclier situé à sa base et qui constitue l'arrière du pelvis, et s'élève en faisant trois courbes naturelles (cf. pages 26–27).

Position du pelvis

Cette posture droite dépend du positionnement du bassin. Pour pouvoir dresser la colonne en partant du sacrum, il faut que le bassin soit correctement aligné. Un contrôle et un ajustement du bassin devrait donc précéder toute position de yoga. Procédez-y dans la pose de la montagne (p. 42–43) en étirant les ischions en direction du sol et en soulevant la partie avant du corps à partir des os de la hanche.

Si la musculature du dos est peu développée, le pelvis a tendance à basculer vers l'avant et le soulèvement se fait à partir de la taille et non des hanches. Une pratique assidue de la tadasana corrigera ce défaut en renforcant la musculature qui soutient la colonne. Vous pourrez alors soulever à partir des hanches sans aide, en position debout et assise.

Trouver sa stabilité

Une répartition équitable du poids sur le pied (cf p.42) vous donnera de la stabilité. Soulevez la voûte plantaire sans perdre l'équilibre en tendant les jambes, soulevez ensuite le tronc du bassin, le sternum, et positionnez le bas du dos. Exécutée quotidiennement, cette pose viendra à bout de vos douleurs au dos.

Nota bene :

- Tendez les jambes sans que les genoux ne s'affaissent en rehaussant la rotule et en étirant vers le haut le muscle de la jambe.
- Les hanches doivent rester dans l'alignement des chevilles sans pencher en avant.
- Ne rentrez pas l'abdomen. Soulevez l'avant du pelvis et l'abdomen sera repoussé vers la colonne.

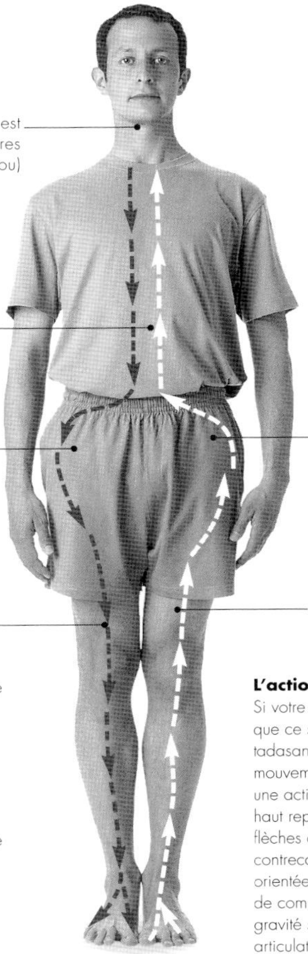

Le poids du crâne est transmis aux vertèbres cervicales (du cou)

La colonne transmet au bassin le poids du tronc

Le pelvis transfère le poids du tronc aux jambes et aux pieds

Les jambes et les pieds transmettent le poids du corps au sol

Le tronc se dresse à partir des hanches, et la colonne de même, du sacrum jusqu'au crâne.

Les jambes se tendent de la voûte plantaire aux articulations de la hanche

Le poids du corps

Le corps est construit de sorte que son propre poids soit transmis de efficacement au sol (selon les flèches de gauche). La colonne transmet le poids de la partie supérieure du corps au sacrum qui forme sa base et qui à son tour le transfère aux os de la hanche en contournant la ceinture du bassin, puis aux jambes et aux pieds.

L'action des muscles

Si votre posture est droite, que ce soit en position de tadasana, assis ou encore en mouvement, vos muscle créent une action orientée vers le haut représentée par les flèches de droite qui contrecarre la force du poids orientée vers le bas et l'effet de compression qu'exerce la gravité sur la colonne et les articulations.

TRIANGLE **Utthita trikonasana** La pose du triangle fait travailler la souplesse des hanches et des jambes. Comme toutes les positions debout, vous commencez en position de la montagne pour ensuite former une série de formes triangulaires avec le corps, les jambes et les bras.

1 *Depuis la position de la montagne (p. 43), écartez les jambes de 1 mètre environ et levez les bras jusqu'à la hauteur des épaules. La paume des mains doit être tournée vers le bas et les pieds doivent être parallèles.*

2 *Etirez-vous des pieds à la tête et du sternum aux bouts des doigts. Faites pivoter le pied gauche légèrement vers l'intérieur et placez la jambe et le pied droits perpendiculairement au tronc, le talon droit se situant au niveau du coup de pied gauche. (cf. figure ci-dessous).*

Respiration

Inspirez avant d'écarter les pieds (point 1) et de les joindre à la fin. Expirez pendant l'étirement du tronc sur la gauche ou la droite (point 3) et respirez normalement par le nez lorsque vous tenez la pose.

Première séance **Triangle**

3 *Inspirez et étirez-vous, puis expirez et penchez-vous sur la droite, en partant des hanches, jusqu'à ce que la main droite touche le sol juste derrière le mollet droit. Alignez le tronc sur les jambes, étirez le bras gauche dans l'alignement du droit et tournez la tête pour regarder la main gauche. Tenez la position en respirant normalement pendant 10 à15 secondes.*

Contre un mur

Effectuer la pose le dos plaqué contre un mur aide à maintenir les épaules en arrière, bien au-dessus des hanches et de la jambe et les jambes bien au-desssus du tronc.

Répéter et terminer

Tournez la tête et relevez le tronc pour qu'ils soient de face. Inversez la position des pieds et répétez les points. 2 et 3 en effectuant l'étirement vers la gauche. Pour finir, regardez devant vous, redressez-vous et retournez les pieds vers l'avant. Inspirez, joignez les pieds et baissez les bras pour vous retrouver en tadasana.

L'alignement: primordial

Un bon alignement de toutes les parties du corps, essentiel à la pose du triangle, dépend d'un bon étirement du corps entier. La pose s'ouvre sur un étirement, le tadasana (cf. p. 42–45), qui étire le corps entier, des voûtes plantaires à la tête. Après avoir écarté les jambes, observez une pause, les pieds parallèles, pour étirer les jambes. Relevez ensuite le sternum et tendez les bras jusqu'au bout des doigts tout en maintenant les épaules en arrière et abaissées.

Effectuer la pose

Si en vous penchant (pas 3) vous n'atteignez encore que votre molet, posez la main sur votre jambe et descendez progressivement jusqu'au sol.

Poursuivre l'étirement

Avant de se pencher à partir des hanches, il est important de poursuivre l'étirement en se soulevant depuis l'aine et en ouvrant la poitrine. Maintenez un étirement vertical dans les jambes tout en étirant le siège (cf. p.26–27) vers le bas en direction du sol et soulevez le tronc des deux côtés. Même si vous ne pouvez pas encore toucher le sol de la main, vous êtes en bonne position. Posez la main sur la jambe, une chaise ou une pile de livres et concentrez-vous sur l'étirement tout en gardant les jambes dans l'alignement du dos. Vos hanches s'assoupliront au fil des entraînements et la main descendra progressivement plus bas.

Nota bene :

- le flanc situé en haut ne tombe pas vers l'avant. Redressez-le comme si vous vous appuyiez contre un mur.
- vos cuisses appuient vers l'arrière.
- votre jambe droite est tournée vers l'extérieur, à droite, et votre tibia gauche est tourné vers l'avant.

Analyse de la pose du triangle

Une fois acquis les mouvements de base du triangle, passons aux détails. Le tronc a tendance à tomber facilement vers l'avant et les jambes à se tourner vers l'intérieur. En yoga, ce sont les détails qui font la différence. Suivez donc les conseils donnés sur la figure ci-dessous et observez le sens de l'étirement indiqué par les flèches pour progresser et tirer parti de tous les bienfaits de cette pose.

Les bras sont tendus en ligne droite

La tête est tournée vers le haut, le cou est détendu

Les jambes sont tournées en dehors des hanches, les muscles des cuisses appuient en arrière

L'avant du pied et le talon sont plantés dans le tapis

Pied avant ouvert à un angle de 90° par rapport au tronc.

Voûte soulevée

La main avant est juste au dessous de l'épaule avant

Pied arrière tourné vers l'intérieur de 15° env.

ANGLE LATÉRAL ETENDU

Il est encore question de triangles dans **utthita parsvakonasana**. Dans cette pose, l'étirement part des pieds puis longe le flanc jusqu'aux bout des doigts. Le corps entier forme un triangle. Elle raffermit et aligne les chevilles, les mollets, les genoux, les cuisses et on dit qu'elle amincit la taille et les hanches.

2 *Tournez le pied gauche vers l'intérieur de 15° env. et le pied droit de 90° vers la droite en tournant la jambe vers l'extérieur à partir de la hanche. Etirez-vous. Inspirez puis pliez la jambe droite jusqu'à ce qu'elle forme un angle droit.*

1 *En position tadasana, étirez-vous, inspirez et écartez les pieds de 1,5 mètre env., (selon la longueur de vos jambes). Levez les bras jusqu'à la hauteur des épaules, les paumes tournées vers le bas, les pieds parallèles et les talons alignés.*

3 *Le tronc est tourné vers l'avant et les bras sont tendus au niveau des épaules. Etirez-vous puis penchez le tronc vers la droite et posez la main droite à côté de la cheville droite. Le bras gauche est tendu verticalement vers le haut.*

Longueur de jambes

Dans plusieurs positions debout, il faut écarter les pieds de 1à1,5 mètre. Or cet écart dépend de la longueur de vos jambes. 90–110 centimètres est l'écart approprié à une personne de petite taille, 120–140 centimètres à une personne aux jambes longues.

4 *Faites exécuter une rotation vers la droite à votre bras gauche jusqu'à ce qu'il effleure l'oreille. Votre flanc gauche forme une ligne droite, du pied jusqu'aux doigts. Regardez vers le haut et tenez la position pendant 10 à 15 secondes.*

Répéter et terminer

Tournez le tête et regardez en face, redressez le tronc, tendez la jambe droite et tournez le pied vers l'avant. Répétez les points 2 et 3 en pliant la jambe gauche et étirant le bras droit.

Etirements latéraux

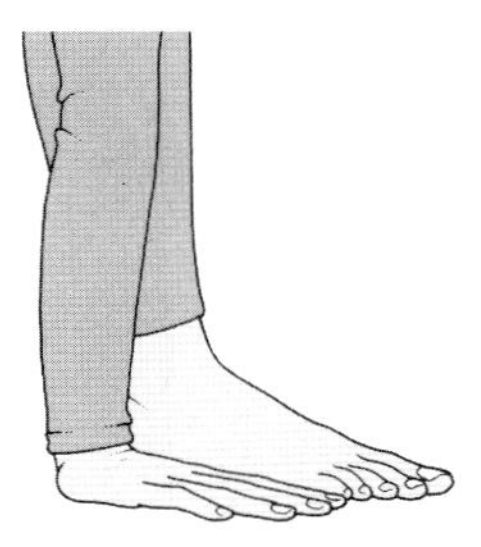

Travailler la pose

Pendant la génuflexion (point 2), le tibia doit former avec le sol un angle à 90°. En vous penchant sur le côté (pt 3), posez la main droite à côté de la cheville droite, au niveau du pied.

La pose de l'angle latéral étendu décrite p. 50 étire le corps des deux côtés. Pour en tirer tous les bienfaits, maintenez l'étirement décrit au point 1, inspirez et étirez-vous depuis l'aine et le sternum jusqu'au bout des doigts.

Au point 2, attention à la position des pieds : rentrez légèrement les orteils du pied gauche en appuyant au sol l'extérieur du pied et en soulevant la voûte plantaire. Tendez la jambe gauche et déboîtez-la de la hanche, de sorte qu'elle soit de face. Contractez les muscles de la cuisse vers l'arrière puis faites pivoter la jambe droite hors de l'articulation de la hanche. A cet effet, tounez le pied droit pour qu'il forme un angle droit avec le tronc et placez-le au niveau du pied gauche.

Inclinaison sur le côté

Tenez l'étirement vers le haut.
Ouvrez les deux jambes au niveau de la hanche en vous penchant vers la droite depuis les hanches. Le tronc doit être de face pendant l'étirement du flanc droit, dans l'alignement de la cuisse de droite. Posez la main droite à côté de la cheville, directement au-dessous de l'épaule droite. Si vous ne touchez pas encore le sol, posez le coude sur la cuisse ou la main droite sur un livre épais. Tendez ensuite le bras gauche, tournez-le vers la droite et étirez-le en haut à droite. A ce stade, votre flanc gauche forme une ligne droite partant du bord extérieur du pied gauche et continuant dans l'alignement de la jambe gauche tendue jusqu'à la hanche, le côté gauche du tronc et le bras gauche.

Nota bene :

- gardez la tête, les épaules, le tronc et les hanches alignés et ne laissez pas les épaules et le tronc s'affaisser vers l'avant.
- En tournant les pieds, faites pivoter la jambe dans la même direction, depuis l'articulation de la hanche. Les pieds, la jambe et le genou doivent être alignés.

Analyse de l'angle latéral étendu

Pour améliorer les détails du point 4 p. 51, travaillez les détails indiqués ici.

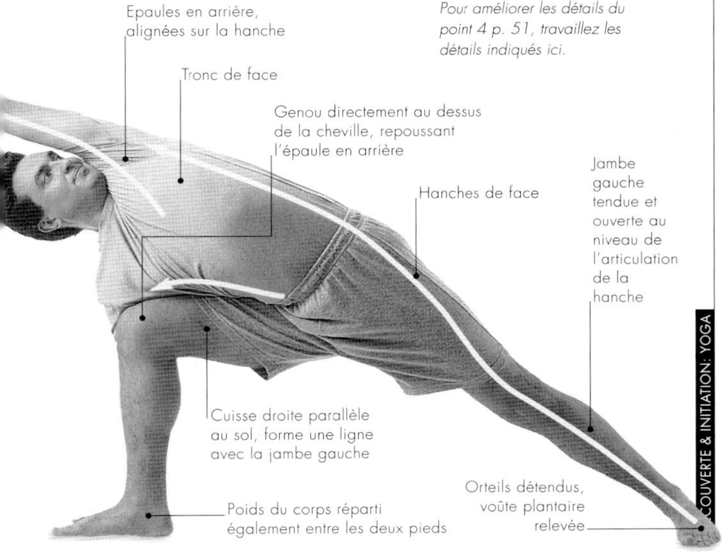

Epaules en arrière, alignées sur la hanche

Tronc de face

Genou directement au dessus de la cheville, repoussant l'épaule en arrière

Hanches de face

Jambe gauche tendue et ouverte au niveau de l'articulation de la hanche

Cuisse droite parallèle au sol, forme une ligne avec la jambe gauche

Poids du corps réparti également entre les deux pieds

Orteils détendus, voûte plantaire relevée

ETIREMENTS VERS L'AVANT

Après les efforts des deux dernières poses, un peu de repos. Ces étirements vers l'avant sont particulièrement indiqués pour reposer le dos. Ce sont les premiers d'une série classique d'étirements vers l'avant, assis ou debout, abordés dans ce livre. Ils peuvent tous être très reposants.

Etirement vers l'avant à genoux

1 *Agenouillez-vous sur le tapis, les pieds joints et les genoux écartés de 30 centimètres environ, assis sur les talons. Posez les mains au sol à côté de vos hanches.*

2 *Sans soulever les fesses des talons, penchez-vous depuis les hanches, étirez les bras vers l'avant et reposez la poitrine sur les cuisses, le front sur le tapis et les mains, paumes tournées vers le bas, sur le tapis devant votre tête. Détendez les bras. Tenez la pose pendant 20 secondes ou plus en respirant normalement. Relevez ensuite le tronc et les bras jusqu'à ce que vous vous retrouviez en position agenouillée.*

Etirement vers l'avant debout

1 *Placez-vous à 1 mètre env. du dossier d'une chaise, les pieds écartés de 30 centimètres, votre poids réparti également entre la métatarse et le talon des deux pieds. Etirez les jambes vers le haut, inspirez et tendez les mains au-dessus de la tête en vous étirant des hanches et aux bouts des doigts.*

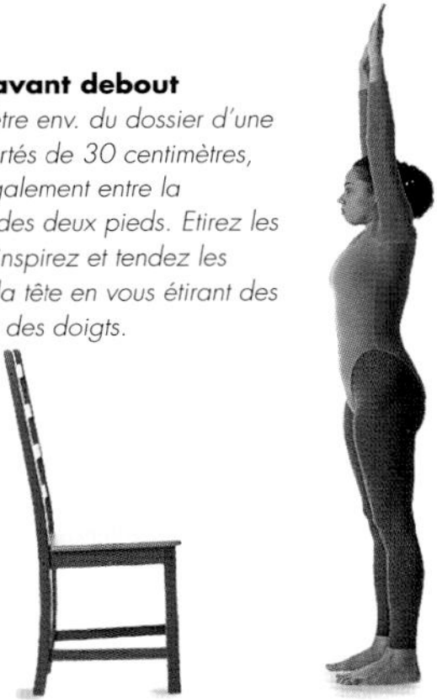

2 *En expirant, penchez-vous en avant en partant des hanches et placez les mains sur le dossier de la chaise à l'écartement d'une largeur d'épaules. Etirez les jambes vers le haut, reculez les hanches pour qu'elles soient alignées sur les talons et abaissez la tête au niveau des épaules. Inspirez et étirez le tronc vers l'avant pendant 20 secondes en respirant normalement. Relevez les bras et le tronc et restez brièvement debout en tadasana.*

Introduction aux étirements vers l'avant

Les étirements vers l'avant calment l'esprit et reposent le corps. La tête se retrouve au niveau du tronc, voire plus bas que ce dernier, ce qui, dit-on, vivifie les nerfs. Ils contrent l'effet comprimant qu'exerce la gravité sur la colonne en l'étirant et séparant les vertèbres. Un étirement vers l'avant peut être l'antidote au mal de dos quand on passe le plus clair de la journée debout.

Si la position agenouillée vous fait mal, posez les genoux sur une couverture pliée. La pose peut être exécutée pieds et genoux joints, mais il est plus facile de ne pas soulever les fesses des talons et de garder le front sur le tapis en écartant quelque peu les genoux. Si vous n'y arrivez pas du premier coup, posez la tête sur une couverture et placez-en au besoin également une sur vos talons. Les raideurs dans les genoux, les hanches et la colonne disparaîtront rapidement et vous pourrez alors vous en passer

Analyse de l'étirement vers l'avant à genoux

Une fois acquis les mouvements de base, travailler les détails pour progresser.

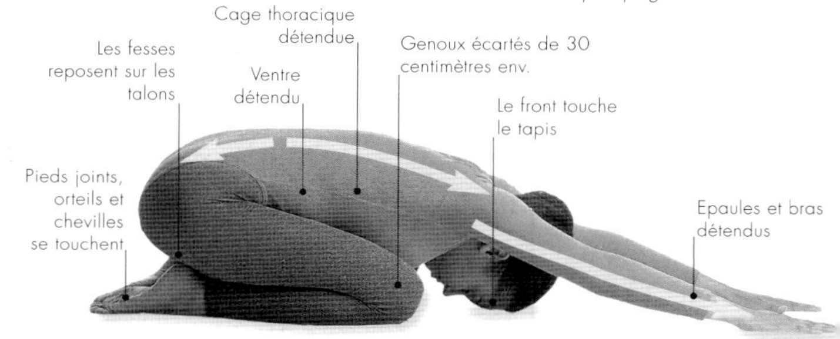

L'étirement part des hanches

L'étirement vers l'avant détend les muscles et les tendons situés à l'arrière des cuisses mais puisque vous ne vous penchez pas au-delà du niveau des hanches, l'étirement ne sera pas excessif ou trop rapide. Choisissez une chaise qui soit au niveau des hanches. Si elle est trop haute, les tendons ne seront pas bien étirés, et trop basse, vous aurez tendance à vous pencher à partir de la taille. Tendez les jambes tant que vous pouvez sans ressentir de douleur.

Analyse de l'étirement vers l'avant

Pour progresser, travailler les points énoncés ci-dessous

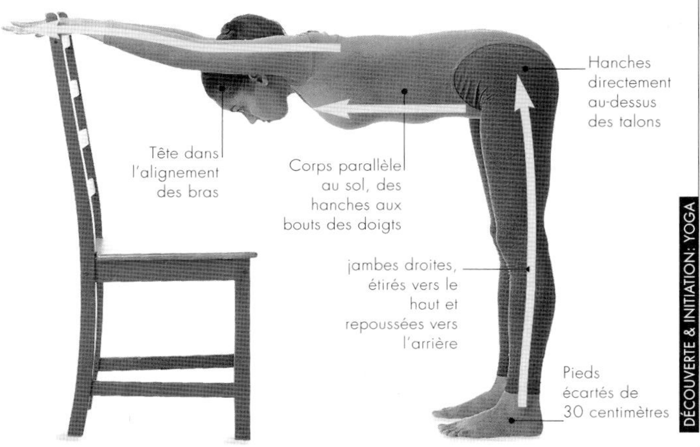

Inspiration de la nature
Dans la pose de l'arbre, vous tendez les mains jointes vers le ciel, telles les branches de la cime d'un sapin de montagne

ARBRE

A bien des niveaux, la recherche de l'équilibre parfait est fondamental au yoga. Les premières tentatives de **vrksasanas**, la pose de l'arbre, risquent fort d'être vacillantes, mais en persévérant, vos chevilles et vos jambes se renforceront et vous trouverez votre équilibre. Une fois que vous serez plus en confiance, vous aurez plus d'aplomb. L'arbre étire tout le corps, des orteils à la tête et jusqu'au bout des bras. Il raffermit les muscles des jambes et redresse la colonne et le dos.

1 *Prenez la position tadasana et étirez-vous vers le haut. Transférez votre poids sur la jambe gauche, ouvrez la jambe droite au niveau de la hanche et pliez le genou en tenant la cheville de la main droite.*

2 *Placez le pied droit contre la cuisse gauche, près de l'aine. Tout en gardant la jambe gauche tendue, appuyez le pied contre la cuisse et vice-versa. Tendez les bras à la hauteur des épaules.*

Alignement correct

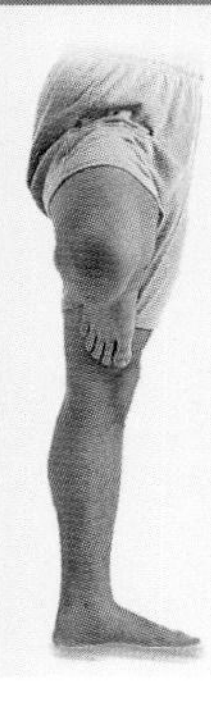

Une fois le pied droit placé contre la cuisse gauche, tendez la jambe gauche et ramenez la cuisse et le genou droits dans l'alignement des hanches.

3 *Tournez les paumes vers le haut, inspirez puis, en expirant, étirez les bras en haut en essayant de joindre les mains au-dessus de la tête. Tenez pendant 10 à 15 secondes.*

Répéter et terminer

Abaissez les bras et détendez la jambe droite pour reprendre la position tadasana. Transférez le poids à la jambe droite et répétez les points 1 à 3, cette fois-ci en appuyant le pied gauche contre la cuisse droite. Reposez ensuite les bras et la jambe et reposez-vous.

Pour un meilleur équilibre

Pour tenir l'équilibre en position de l'arbre, il suffit de commencer en tadasana en s'étirant bien. En transférant le poids à la jambe au sol, raidissez encore plus cette jambe. Au début, il se peut que les articulations de la hanche soient trop raides pour placer le pied bien en haut de la cuisse opposée. Vous pouvez toutefois monter le pied puis le maintenir en haut au moyen d'une ceinture que vous passerez autour de la cheville. Avec de l'exercice, les articulations s'assoupliront. La ceinture a l'inconvénient d'empêcher de soulever les deux bras mais elle permet une tenue droite.

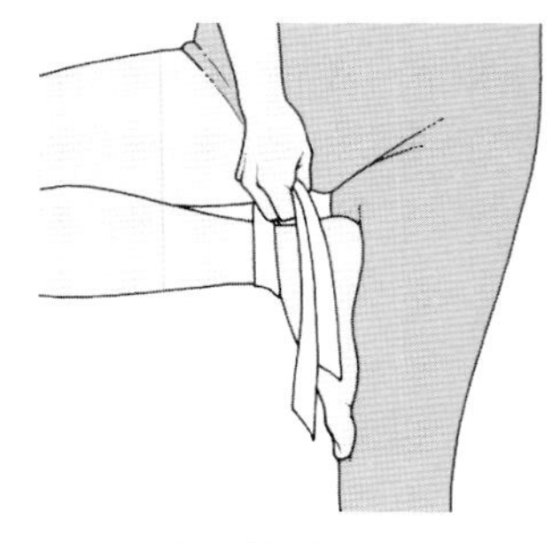

Travailler la pose

Si vous avez du mal à maintenir le pied contre la cuisse ou si vos bras sont trop courts pour attraper la cheville, passez une ceinture autour de la cheville et tenez-la de la même main.

Comment tenir l'équilibre

Le pied relevé doit appuyer sur la cuisse de la jambe au sol, près de l'aine, et la cuisse doit appuyer dans la plante et le talon du pied, comme si la force d'attraction d'un aimant les maintenait ensemble. Tirez les hanches vers le tapis et fixez du regard un objet se trouvant au niveau des yeux.

Les bienfaits de l'étirement

Une fois l'équilibre trouvé, relevez lentement les deux bras jusqu'au niveau des épaules, paumes vers le bas. (si l'une des mains tient une ceinture, placez l'autre sur la hanche.) La tête haute, tournez les bras pour que les paumes soient tournées vers le haut. Expirez et élevez les bras au-dessus de la tête. Respirez normalement et étirez-vous des pieds jusqu'aux doigts.

- Maintenez la cuisse et le genou de la jambe repliée dans l'alignement du tronc.
- Les hanches sont de niveau et alignées.
- Tirez le siège vers le bas.
- En levant les bras, levez le sternum sans pour autant bomber le torse.

Les paumes se font face

La cuisse et le genou droits forment un angle droit avec le tronc, le genou est dirigé vers le bas

Hanches droite et gauche alignées

Talon près de l'aine

Orteils tirés vers le bas

Jambe gauche tendue vers le haut

Le poids est également réparti entre le talon et l'avant du pied

Analyse de la pose de l'arbre

Pour apprendre à tenir l'équilibre en position de l'arbre, suivez les indications données ici.

ETIREMENT DES JAMBES **Urdhva prasarita padasana**

est un remontant en cas de forte fatigue ou de douleur des pieds ou des jambes. C'est aussi une pose reposante pour vous remettre des poses plus complexes du chapitre 4. Certains maîtres la recommandent pour soulager les flatulences. Pour raffermir le ventre et amincir l'abdomen, faites-la sans le mur.

1 *Allongez-vous sur le côté, les jambes pliées et les deux fesses touchant le mur.*

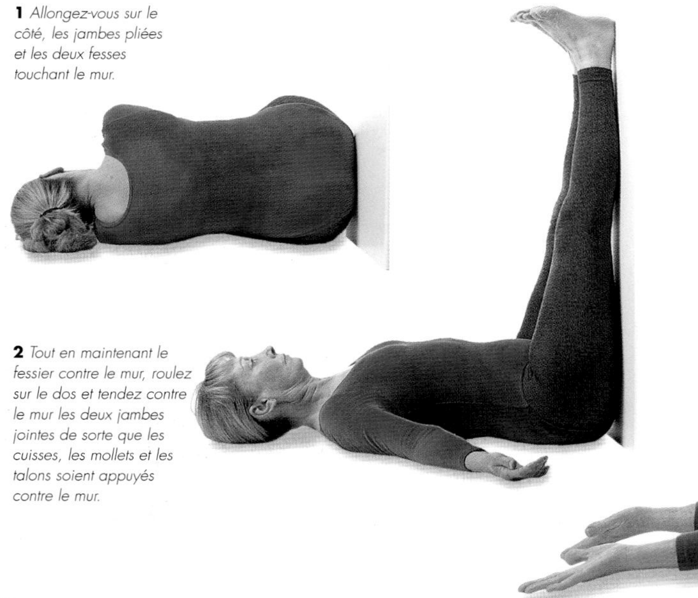

2 *Tout en maintenant le fessier contre le mur, roulez sur le dos et tendez contre le mur les deux jambes jointes de sorte que les cuisses, les mollets et les talons soient appuyés contre le mur.*

Travailler la pose

La colonne entière doit reposer sur le tapis et il ne doit y avoir aucun espace entre les fesses, le tapis et le mur. Si les tendons du jarret sont raides, il se peut que le derrière se soulève du tapis en tendant les jambes. Pour boucher ce trou, reculez les fesses du mur, augmentant de ce fait l'angle entre vos jambes et votre tronc. Lorsque les tendons du jarret seront plus souples, vous pourrez réduire l'espace entre vos fesses, le tapis et le mur.

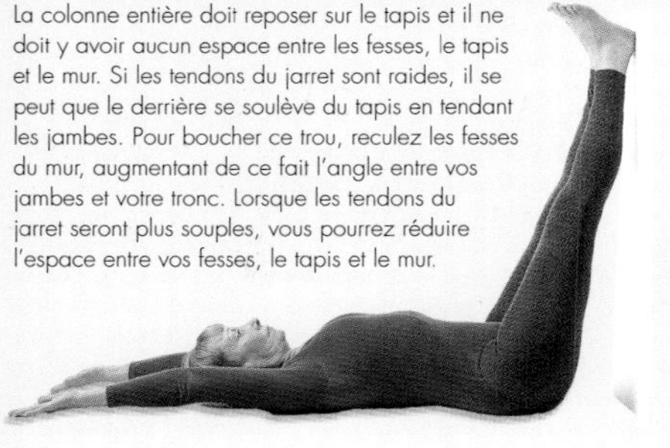

3 *Etirez les jambes vers le haut. Levez les bras et étirez-les au sol derrière votre tête. Il ne doit y avoir aucun espace dans l'angle entre le mur, les cuisses, les fesses et le sol. Tenez la pose pendant 15 à 20 secondes.*

Conclusion et repos

Au sol, ramenez les bras le long du corps, pliez les genoux et roulez sur le côté avant de vous relever.

Finir en relaxation

La pose la plus relaxante est celle du cadavre, **savasana I**. Elle détend les muscles après un étirement et repose l'esprit après la concentration sur le mouvement. Pour commencer, étirez le dos, les jambes et les pieds, les bras et les mains, puis fermez les yeux et portez votre attention sur chacune des parties du corps l'une après l'autre. Détendez les muscles dans chaque membre et les articulations, relâchez toute tension dans les muscles du ventre et votre colonne vertébrale, détendez la mâchoire et éliminez toute tension dans les muscles du visage et autour des yeux. La concentration sur chacune des parties du corps l'une après l'autre en respirant de manière lente et rythmée libère l'esprit des pensées susceptibles de générer des tensions.

Un antidote au stress

Finissez votre première session en savasana I, relaxation totale du corps et de l'esprit, pendant quelques minutes. Cela vous préparera physiquement et mentalement à retrouver la vie de tous les jours. Ces poses peuvent également être un antidote au stress et aux tensions en dehors des entraînements, pour faire le point ou faire face à une situation difficile.

Analyse de la position

Suivez les instructions ci-contre et les conseils ci-dessous et concentrez-vous vous sur la respiration et la relaxation de chacune des parties du corps.

Les talons se touchent, pieds détendus

Jambes jointes et droites, retombant sur les côtés

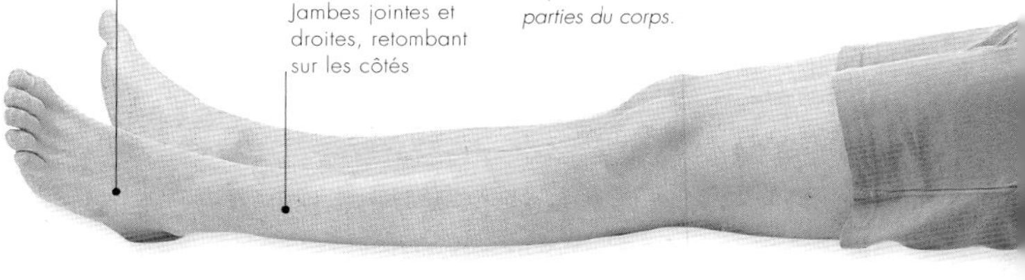

1 *Asseyez-vous jambes jointes, genoux pliés et mains au sol à côté des hanches. Allongez-vous en abaissant doucement la colonne, jusqu'à ce que la tête touche le tapis. En tirant le siège vers les pieds, tendez lentement les jambes rassemblez-les jusqu'à ce que les pieds se touchent.*

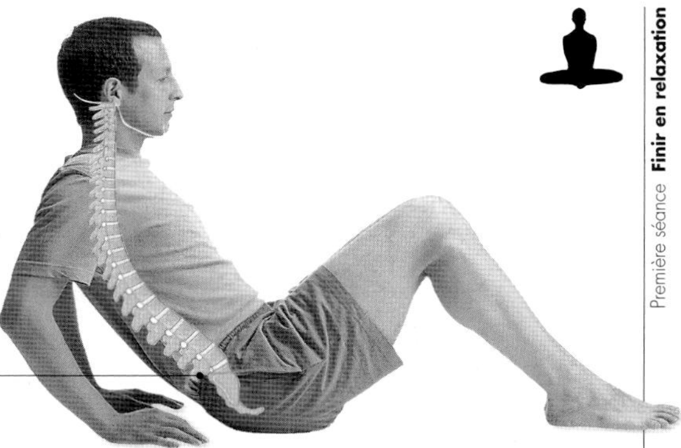

Déroulez la colonne vertèbre après vertèbre

2 *Relevez la tête pour vérifier que les jambes et le corps soient alignés puis reposez-la dans l'alignement du tronc. Rapprochez les jambes pour que les pieds se touchent et étirez les jambes. Tirez les orteils en direction de la tête et repoussez les talons dans la direction opposée, puis relâchez les jambes. Tournez les bras depuis les épaules jusqu'à ce que les paumes soient tournées vers le haut. Etirez-vous des épaules jusqu'aux bouts des doigts, puis relâchez tout. Fermez les yeux et lentement, détendez le corps entier.*

Paumes ournées vers le haut

Les bras reposent au sol, légèrement écartés du corps

Tête dans l'alignement du corps

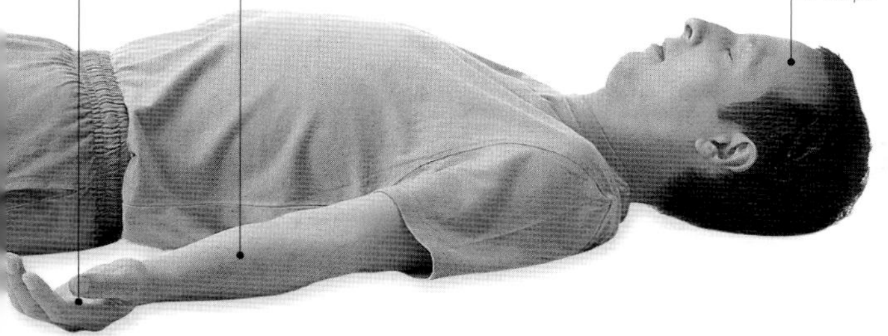

POSES CLASSIQUES

Une fois que vous maîtriserez les dix poses de base du chapitre 3, vous souhaiterez peut-être en apprendre de nouvelles. Dans ce chapitre, vous trouverez les instructions et les illustrations vous permettant d'exécuter 40 poses classiques. Il existe 6 grandes catégories, poses debout et assises, poses au sol, torsions assises, étirements en arrière et poses renversées, abordées les unes après les autres. Le chapitre se clôt sur quelques exercices divertissants pour les épaules et les mains.

Pour progresser

Les dix poses du chapitre 3 sont la base de beaucoup d'asanas. En progressant, vous en apprendrez de nouvelles, sans pour autant arrêter de pratiquer les premières. Des yogis de longue date continuent de travailler à améliorer tadasana. Chaque pose demande en effet une vie entière pour être apprise.

Poses debout

Les poses présentées dans ce chapitre ne doivent pas nécessairement être exécutées dans l'ordre indiqué. Il est toutefois recommandé aux débutants de commencer par les postures debout (p. 70–105) car elles augmentent la vitalité et la souplesse. Les poses debout les moins difficiles (signalées par un symbole bleu clair en haut à droite) exécutées en vous appuyant contre un mur vous aideront à reprendre des forces après une maladie. N'essayez pas de prolonger progressivement la durée d'étirements. Pour progresser, limitez-vous à 5 à 10 secondes, puis reposez-vous et recommencez.

Un exercice holistique

Toutes les poses de yoga agissent sur l'ensemble du corps. Si donc vous souffrez par exemple des épaules, ne vous bornez pas aux exercices sur les épaules. Des poses debout, assises et

au sol contribueront elles-aussi à les détendre. Les poses assises et au sol les plus ardues demandent d'abord un effort plus important. Mais ne poussez pas l'effort jusqu'à la douleur. Donnez à votre corps le temps de s'assouplir et de se renforcer. Ce sont les performances personnelles qui comptent, il n'y a pas de compétition. L'étirement doit toujours être progressif. Si donc une pose vous semble trop solliciter une partie du corps, arrêtez-vous et travaillez des poses exigeant une souplesse moindre.

Soutien et protection

Apprenez les poses en suivant les points illustrés sur les photos en couleurs. Les pages en noir et blanc qui suivent font une analyse de la pose. Y sont conseillées des aides pour soutenir le dos ou reposer le poids ou encore pour aider à l'étirement. Pour les poses renversées p. 186–93, prévoyez toujours couvertures pliées ou blocs de mousse. Relevez-vous des poses allongées en roulant sur le côté pour ménager votre dos. Gardez ces avertissements à l'esprit sans pour autant vous limiter à un répertoire trop restreint de poses. Soyez audacieux et vous serez étonnés de voir tout ce que vous savez faire.

A la découverte des poses
N'hésitez pas à essayer de nouvelles poses, même si elles paraissent difficiles. Vous constaterez que certaines sont extrêmement simples à exécuter tandis que d'autres demandent plus de travail

ETIREMENTS DES JAMBES

Les deux poses suivantes proposent un étirement maximum des membres dans le but d'améliorer l'équilibre et de fortifier les jambes. S'adressant aux débutants, ce sont des versions assistées de la pose, nécessitant un meuble solide ou un tréteau à la bonne hauteur où poser le talon, la jambe tendue.

Utthita hasta padangusthasana I

1 *En tadasana, à 1 mètre environ. du rebord ou de la chaise, étirez vers le haut les jambes et le dos puis pliez la jambe droite et posez le talon droit sur le rebord ou la chaise.*

2 *Passez une ceinture autour du pied droit. En la tenant des deux mains, tenez-vous droit, les bras tendus. Etirez la jambe gauche vers le haut et celle de droite en poussant du pied contre la ceinture. Tenez pendant 20 secondes env.*

Répéter et terminer

Enlevez la ceinture et posez le pied droit au sol. Etirez-vous et répétez les points *1 et 2, cette fois ci en levant la jambe gauche.*

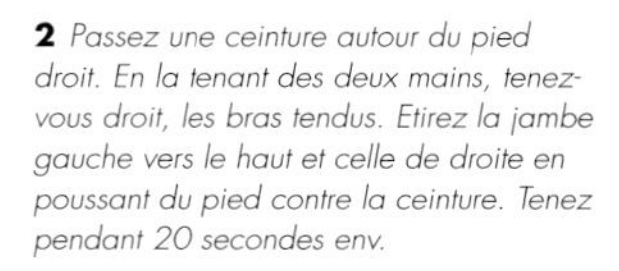

Utthita hasta padangusthasana II

1 *Debout à 1 mètre env. du rebord, lui faisant face, tournez-vous vers la gauche et étirez-vous. Transférez le poids à la jambe gauche, pliez la jambe droite en la faisant tourner depuis la hanche et posez le talon sur la surface.*

2 *Passez une ceinture autour du pied droit et tenez-en les deux extrémités de la main droite. Tenez-vous droit en regardant devant vous. Tendez le bras droit et levez le bras gauche jusqu'au niveau de l'épaule. Tenez 10 à15 secondes.*

Répéter et terminer

Enlevez la ceinture et reposez le pied droit, étirez-vous et répétez les points 1 et 2 en levant la jambe gauche. Reposez-vous puis recommencez en attaquant à droite.

Exercices sur les jambes

Les poses padangusthasana I et II (p.70–71) nécessitent un meuble lourd ou un rebord au bon niveau où poser le pied. Il doit être assez élevé pour étirer les jambes, en maintenant les hanches au même niveau, mais sa hauteur doit autoriser l'extension des jambes. Placez-vous debout à un mètre environ du rebord, soulevez un pied, pliez l'autre jambe au niveau du genou et posez le talon sur le rebord. Essayez alors de tendre la jambe soulevée. Si vous n'y arrivez pas, c'est que le rebord ou la chaise est trop élevé. Avec de l'entraînement, vous rehausserez peu à peu le niveau en posant le pied sur des livres. Si vous posez le pied sur le dossier d'une chaise, calez-la contre un mur pour plus de stabilité.

Nota bene :

- Gardez la jambe d'appui droite et tendue, le pied vers l'avant.
- Gardez le tronc et les hanches de face et les hanches de niveau.
- Tirez le siège vers le bas en direction du tapis et étirez-vous en partant de l'aine.

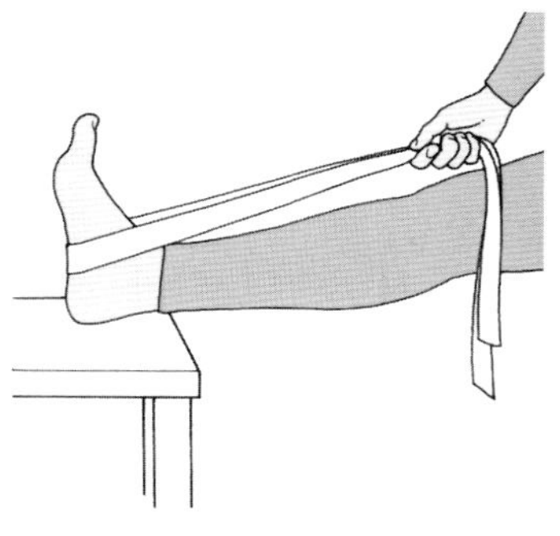

Réussir la pose

Passer une ceinture autour de la voûte plantaire vous aidera à étirer la jambe en poussant du pied contre la ceinture, les orteils vers le haut.

Continuer

Ces deux poses peuvent être exécutées à des niveaux de difficulté de plus en plus élevés. Vos jambes s'assouplissant, vous pourrez lever la jambe sans l'aide d'une chaise ou d'une ceinture. Après des années d'entraînement, vous pourrez lever le pied à hauteur d'épaule et maintenir la jambe tendue en tenant le gros orteil avec la main du même côté du corps.

Analyse de l'étirement maximum de la jambe

Cette figure représente la pose de la p. 71, utthita hasta padangusthasana II. Les instructions pour tenir l'équilibre s'appliquent cependant aussi à la pose utthita hasta padangusthasana I, p. 70.

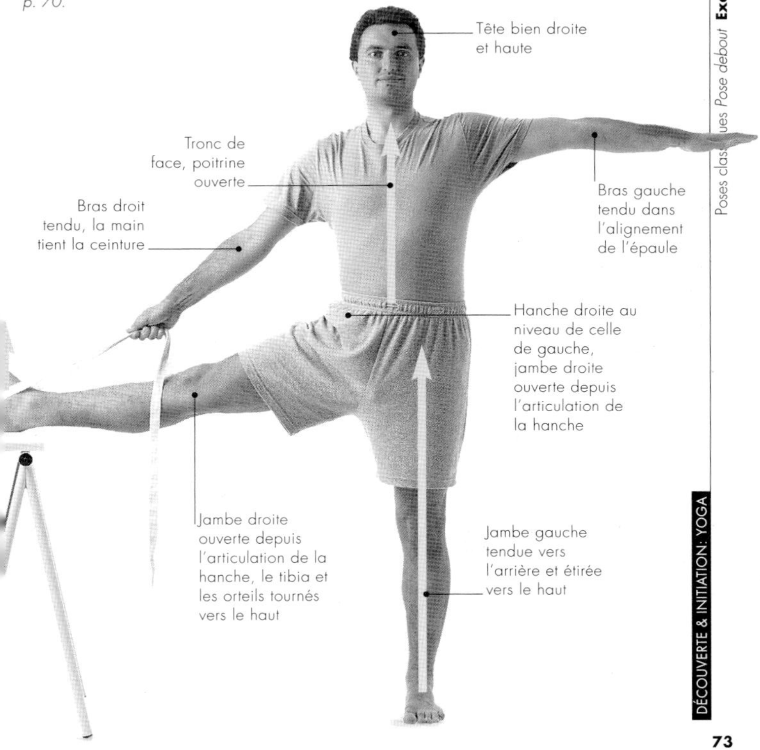

Tête bien droite et haute

Tronc de face, poitrine ouverte

Bras gauche tendu dans l'alignement de l'épaule

Bras droit tendu, la main tient la ceinture

Hanche droite au niveau de celle de gauche, jambe droite ouverte depuis l'articulation de la hanche

Jambe droite ouverte depuis l'articulation de la hanche, le tibia et les orteils tournés vers le haut

Jambe gauche tendue vers l'arrière et étirée vers le haut

EXERCICES POUR LE DOS

Ces poses opèrent une torsion et un étirement de la colonne, qu'ils assouplissent. La pose debout introduit les torsions et **uttanasana I**, ci-contre, courbe la colonne vers l'avant depuis les hanches (tenez compte des précautions à prendre p. 9). Combinés, ces deux étirements intenses de la colonne sont source de bien-être.

Torsion debout sur chaise

1 *Debout à côté de la chaise, flanc droit côté mur, pieds joints et mains sur les hanches, posez le pied droit sur la chaise et étirez-vous.*

2 *Posez la main gauche sur le genou droit et tirez pour tourner votre flanc gauche vers le mur.*

3 *Posez la main droite sur le mur et appuyez du bout des doigts pour repousser le côté droit et pousser le côté gauche vers le mur. Tenez la torsion 10 à 15 secondes.*

Répéter et terminer

Baissez les bras, placez-vous de face en tadasana changez la chaise de côté et exécutez la torsion du côté gauche.

Torsion Marichyasana

Cette pose, appelée **Marichyasana** parce qu'elle se base sur un exercice composé par le sage Marichi, opère une torsion de la colonne. Placez une chaise le dossier contre un mur et posez deux blocs de mousse ou deux annuaires sur le siège, également contre le mur, et posez le pied sur les blocs.

Etirement debout vers l'avant

1 *Debout, pieds parallèles, écartés de la largeur des hanches, le poids du corps est également réparti. Etirez-vous vers le haut. Levez les bras au-dessus de la tête, pliez les coudes et attrapez le bras juste au-dessus du coude.*

2 *Soulevez les coudes puis penchez-vous en avant depuis les hanches. Tendez les jambes, relâchez le corps, tête ballante, et abaissez les coudes vers le sol. Tenez 10 à 15 secondes, puis inspirez, posez les mains sur les jambes, levez la tête et les coudes et remontez les mains en les faisant glisser le long des jambes. Redressez la colonne depuis les hanches jusqu'à ce que vous vous retrouviez debout en tadasana.*

Uttanasana I

Lorsque vous êtes à l'aise avec l'étirement vers l'avant simplifié du chapitre 3, passez à **uttanasana I,** version légèrement plus difficile. Cette pose qui étire la colonne en entier est aussi parfaite pour se reposer entre deux poses plus complexes.

Assouplir la colonne

Le secret de la torsion est la combinaison d'un soulevement et d'un étirement. Commencez la torsion p. 74 debout, droit, le haut du crâne faisant face au plafond. Etirez vers le haut la jambe au sol tout en la tendant en arrière. Tirez le siège vers le sol et la colonne vers le haut. Expirez en vous tournant. Le bras fait office de pivot de levier tandis que la main qui appuie contre le mur fait levier et repousse du mur un côté du corps. La main placée contre le genou et qui tire sur ce dernier, rapproche du mur l'autre côté du corps. Cette double action permet de gagner 1 ou 2 degrés dans la torsion.

Inclinaison vers l'avant

Etirez vigoureusement les jambes vers le haut avant de vous pencher vers l'avant en uttanasana I (p. 75). Soulevez depuis les hanches et étirez le tronc vers le haut. Levez et étirez les bras. Les mains serrant les bras, soulevez les coudes puis expirez en vous penchant, depuis les hanches et non la taille. Cette pose est relaxante car le corps pend des hanches. Ce sont les hanches qui travaillent.

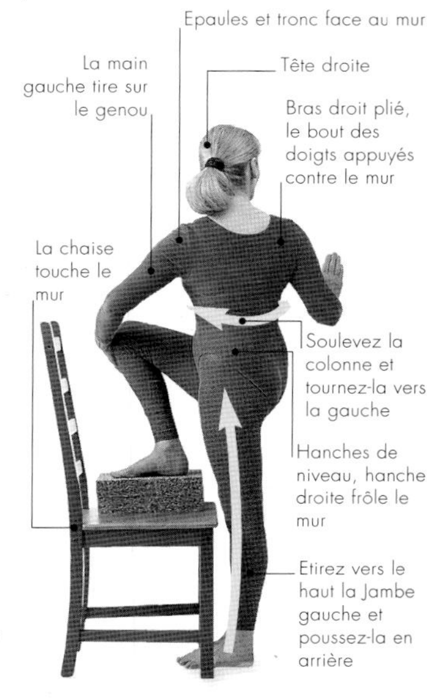

Torsion debout sur la chaise
Pensez à tous les détails indiqués sur la figure de droite pour bien exécuter la torsion de Marichyasana p. 74.

Analyse de l'inclinaison vers l'avant

Pour bien exécuter l'inclinaison vers l'avant p. 75, concentrez-vous bien sur les points soulignés ici, mais pensez sutout à étirer les jambes vigoureusement vers le haut. Si vous souffrez d'un glissement de disque ou de tout autre problème de dos, ne tentez pas cette pose. Continuez plutôt à pratiquer la pose de la p. 55.

Penchez le tronc depuis les hanches, qui doivent être de niveau

Cou relâché, tête ballante

Les mains serrent le bras opposé, les coudes sont relâchés vers le bas

Les pieds sont écartés, le poids est également réparti

GUERRIER II

Virabhadrasana, d'après le nom du grand guerrier d'un poème épique du dramaturge indien Kalidasa. Il existe plusieurs poses du guerrier. **Virabhadrasana II**, la première et la plus simple, développe les muscles des mollets et des cuisses. C'est une bonne préparation aux poses debout plus élaborées, en particulier les inclinaisons en avant.

1 *Debout en tadasana, inspirez et écartez les pieds de 1,5 mètre env. (plus ou moins, en fonction de la longueur de vos jambes). Tendez les bras au niveau des épaules. Les pieds doivent être parallèles. Etirez-vous.*

2 *En gardant le tronc de face, déplacez légèrement le pied gauche vers l'intérieur et faites pivoter le pied droit vers l'extérieur. Le talon droit doit être dans l'alignement de la voûte plantaire du pied gauche.*

3 *Etirez le tronc vers le haut depuis les hanches, expirez et pliez la jambe droite jusqu'à former un angle droit, sans plier l'autre jambe. Les bras doivent former une ligne. Tournez la tête vers la droite et étirez-vous vigoureusement vers le haut en partant de l'aine. Etirez le tronc, le sternum et les bras jusqu'au bout des doigts. Tenez 10 à 15 secondes.*

Répéter et terminer

Tendez la jambe droite et tournez-vous pour être de face. Inversez le positionnement des pieds et répétez les points 2 et 3 mais cette fois-ci en pliant le genou gauche. Répétez l'ensemble de la pose avant de vous reposer.

Soulever et étirer

Si vous avez exécuté les dix poses du chapitre 3 une ou deux fois, vos jambes devraient être fortifiées et vous devriez avoir gagné de l'aplomb. Les deux poses du guerrier, virabhadrasana II p. 78–79 et, légèrement plus élaborée, virabhadrasana I p. 82–85, fortifient le bas du corps. Appliquez-vous à maintenir l'étirement vers le haut ainsi que les positions (changeantes) des différentes parties du corps. Après avoir écarté les jambes au point 1, les pieds doivent être parallèles et les orteils au même niveau.

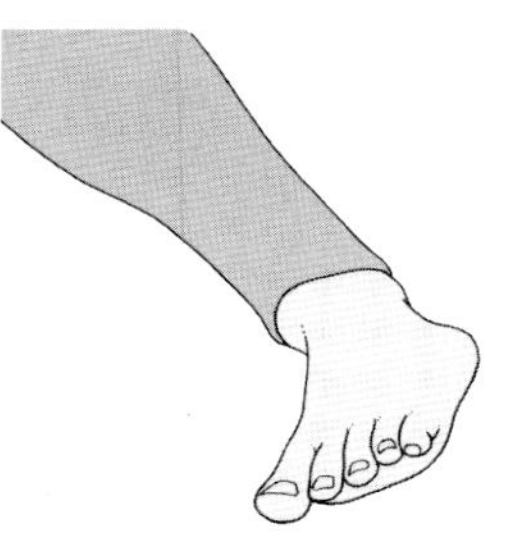

Travailler la pose

Votre aplomb a besoin de bases solides. En tournant les pieds au point 2, le bord extérieur du pied arrière ne doit pas se relever (cf ci-dessus). Si le poids est bien réparti, le bord extérieur de la plante et le talon sont solidement ancrés au sol.

L'aplomb

Pendant toute cette pose, le corps doit être relevé. Tenez-vous droit avant d'écarter les jambes. Observez une pause avant de faire pivoter les pieds pour étirer les jambes vers le haut, depuis la voûte de chaque pied et jusqu'aux hanches. Ouvrez les jambes au niveau de l'articulation de la hanche et soulevez le tronc depuis l'aine. En pliant le genou, gardez le tronc droit et la tête haute. Si possible, contrôlez votre aplomb dans un miroir. La cuisse de la jambe pliée doit être parallèle au sol et le tibia doit former un angle de 90° avec le sol. Prenez conscience de l'étirement dans l'aine. Relevez le sternum et étirez-vous depuis le milieu de la poitrine. Etirez les bras en abaissant les épaules puis ajustez les bras de sorte qu'ils forment une ligne horizontale qui traverse votre corps.

Nota bene :

- Lorsque le genou droit est plié, ne laissez pas la hanche gauche, le côté gauche du tronc ou l'épaule gauche s'affaisser vers l'avant. Tirez les en arrière comme si vous vouliez les coller à un mur.
- Appuyez les épaules et le bras relevé vers le bas de sorte que les bras et les épaules forment une ligne droite.
- Rentrez le coccyx et tirez le siège vers le bas.

Analyse du guerrier II

Pour améliorer votre aplomb au point 3 du guerrier II p. 79, suivez les instructions suivantes.

GUERRIER I

Virabhadrasana I est une pose fortifiante, une posture dynamique opérant une torsion latérale du tronc. Elle étire les articulations entre les vertèbres et redonne à la colonne sa souplesse naturelle. Elle est recommandée pour soulager les raideurs du dos, des épaules et du cou.

1 *En tadasana, inspirez et écartez les pieds de 1,5 mètres environ, en fonction de la longueur de vos jambes. Tendez les bras au niveau des épaules. Elevez-les et étirez-les jusqu'au bout des doigts.*

2 *Tournez les bras depuis l'articulation des épaules et tournez les paumes vers le haut. Inspirez et levez les bras tendus jusqu'à ce que les paumes se touchent au-dessus de votre tête.*

Etirement des bras

Au point 2, en levant les mains, étirez-les vers le haut et l'arrière de sorte que les bras touchent les oreilles ou les tempes.

3 *Tournez le pied gauche vers l'intérieur et pivotez le pied droit vers la droite. Ouvrez la jambe droite depuis l'articulation de la hanche et tournez le tronc vers la droite*

4 *Etirez-vous en arrière, en direction du talon gauche puis expirez et pliez la jambe droite jusqu'à ce qu'elle forme un angle droit. Dressez-vous en partant de l'aine et regardez le bout de vos doigts. Tenez 10 à 15 secondes.*

Répéter et terminer

Respirez, tendez la jambe droite et tournez-vous pour être de face. Expirez puis abaissez les bras et reposez-vous. Répétez les points 2 à 4, cette fois-ci en vous tournant vers la gauche, et refaites la pose entière.

Montées des bras

Guerrier I, entre autres, encourage à plier, étirer et pivoter les bras au-delà des limites qu'on leur connaissait. Commencez la pose en tendant les bras au niveau des épaules et en les étirant. L'étirement doit être puissant, partant du sternum, se diffusant vers l'extérieur par les épaules et les aisselles et longeant les bras jusqu'au bout des doigts. Cette pose va encore plus loin : tournez de 180° vers l'arrière les bras tendus depuis l'articulation de l'épaule jusqu'à ce que les paumes soient face au plafond avant d'élever les bras au-dessus de la tête.

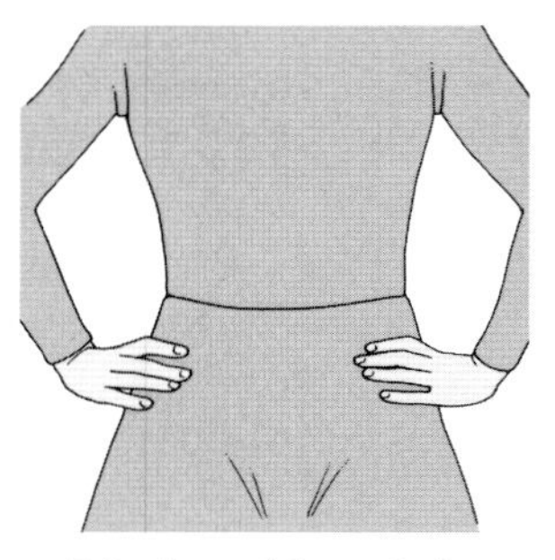

Eviter les problèmes de dos
Si vous souffrez d'un glissement de disque ou de tout autre problème plus grave, exécutez la pose sans lever les bras au-dessus de la tête. Les mains sur les hanches, vous pouvez travailler à assouplir votre colonne vertébrale sans vous fatiguer le dos.

Une montée puissante

La montée des bras est un mouvement puissant qui fait s'étirer plus que les bras. Il part des côtes, action qui soulève la cage thoracique, étire les aisselles, le haut du bras, l'articulation du coude, les avant-bras et les mains. Entraînez-vous à tirer le haut du bras en arrière, au niveau des oreilles, voire derrière elles, en rapprochant les mains le plus possible au-dessus de la tête, les paumes se touchant. Cette montée du bras doit être la culmination d'un mouvement vers le haut partant de la voûte du pied arrière, se poursuivant en étirant de l'intérieur la jambe arrière jusqu'à l'aine, montant jusqu'aux os de la hanche, au tronc, au cou et enfin au haut du crâne. Levez la tête pour regarder le bout de vos doigts tendus.

Nota bene :

- votre poids est réparti également sur les points cruciaux des deux pieds (cf. p. 42) pendant toute la pose.
- vos bras sont droits dès que vous les levez.
- votre coccyx est bien rentré et le siège tiré vers le bas mais élargissez le sacrum à l'arrière du bassin et soulevez en partant de la hanche.

Analyse de guerrier I

Pour avoir un meilleur aplomb au point 4 du guerrier I p. 83, suivez les instructions données ici.

DEMI-LUNE

On dit de cette pose gracieuse, **ardha chandrasana**, qu'elle ressemble à une demi-lune, d'où son nom. Elle rayonne d'harmonie et favorise l'équilibre et la coordination. Toutes les poses debout fortifient les jambes ; celle-ci, pratiquée avec assiduité, renforce les genoux et les chevilles faibles.

1 *Commencez par exécuter les points 1 à 3 de la pose du triangle p. 46–47 puis observez une pause en regardant votre main et en respirant normalement.*

2 *Tournez la tête de face et posez le bras gauche sur le flanc gauche. Expirez, pliez la jambe droite et rapprochez le pied gauche du pied droit.*

3 *Posez la main droite au sol à 30 centimètres env. du pied droit, légèrement derrière lui. En expirant, levez la jambe gauche jusqu'à la hauteur de la hanche en tendant la jambe droite. Levez le bras gauche, la paume de face, dans l'alignement du bras droit puis regardez vos doigts en haut. Tenez 10 à 15 secondes en respirant normalement puis tournez la tête de face. Pliez de nouveau le genou droit et revenez à la pose du triangle.*

Contrôle de l'alignement

Exécutez cette pose contre un mur est une bonne méthode qui permet d'aligner les épaules, le tronc, les hanches et les jambes et aide à tenir l'équilibre

Répéter et terminer

Répétez les points 1 à 3, en abaissant la main gauche et en soulevant la jambe droite. Inspirez, relevez le tronc, joignez les pieds et reposez-vous.

Equilibre et aplomb

La demi-lune est un asana de second niveau qui commence en triangle (cf. p. 46 à 47) pour finir en équilibre sur une main et une jambe. Concentrez-vous sur l'étirement et l'alignement en respirant normalement. Etirez vers le haut les deux jambes et les deux côtés du tronc.

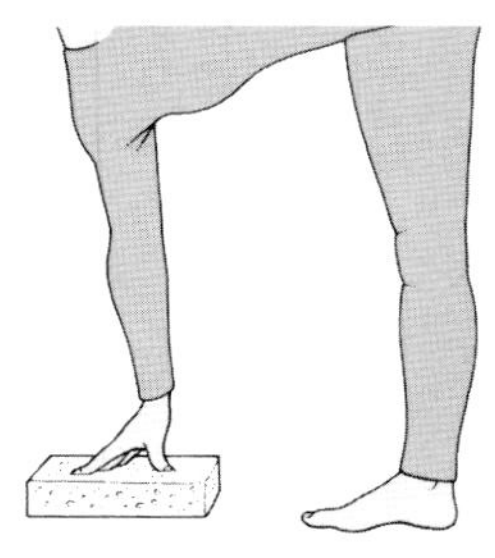

Travailler la pose
Si vous n'arrivez pas à toucher le sol de la main, posez-la sur un bloc de mousse ou une pile d'annuaires.

Transfert du poids

La transition du triangle à la demi-lune s'opère par un transfert du poids qui a lieu au point 2 : des deux jambes, il passe à une seule. Ce transfert doit se faire progressivement et le poids être également réparti sur les quatre points cruciaux de la plante du pied (cf. p. 42). En levant la jambe gauche, vous effectuez un autre transfert de poids sur la jambe droite. Ouvrez la jambe en partant de la hanche en la levant jusqu'au niveau de la hanche pour que le genou soit de face.

Concentration sur l'équilibre

A ce stade, tenez l'équilibre en étirant vigoureusement la jambe au sol vers le haut et la jambe en l'air vers la gauche. Fixer la main en l'air aide aussi à tenir l'équilibre. L'angle que forme le bas du corps trouve son reflet dans le haut du corps lorsque vous tendez le bras à la verticale dans l'alignement du bras tendu vers le bas. Ménagez une pause pour faire pivoter vers le haut et l'arrière le côté supérieur du tronc et rentrez bien le coccyx. Etirez ensuite le tronc, de l'aine au haut du crâne, en tournant la tête vers le haut.

Analyse de la demi-lune

Le point 3 de la demi-lune p. 87 est décrit en détail ci-dessous. Si possible, exécutez la pose devant un miroir pour vérifier chacun des points soulignés.

Nota bene :

- maintenez les épaules et le bras relevé en arrière pour former une ligne droite avec le bras inférieur sur lequel vous tenez en équilibre.
- le côté supérieur du tronc ne doit pas tomber en avant. Redressez-le comme si vous l'appuyiez contre un mur.
- rentrez bien le coccyx pendant toute la pose, ne sortez pas les fesses.

LA CHAISE **Utkatasana** est un remède aux conséquences d'une mauvaise posture. En effet, vous vous trouvez assis en l'air, en équilibre sur vos deux pieds, maintenu par vos seuls muscles. Littéralement, le mot sanscrit "utkatasana" signifie "pose puissante", désignation justifiée car cette pose donne de la puissance aux mollets, aux chevilles et aux larges muscles des fesses et des cuisses.

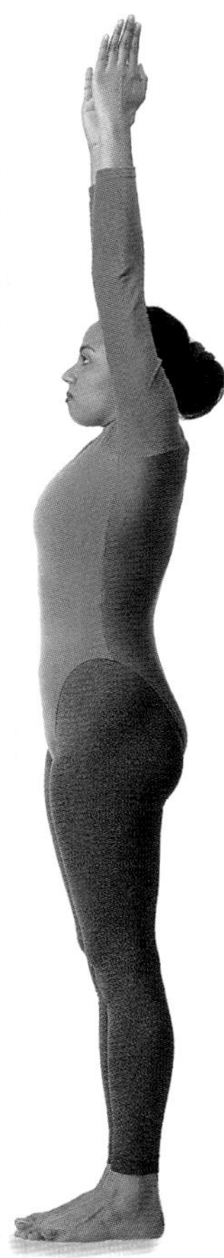

1 *En tadasana, les pieds joints, inspirez, levez les mains au-dessus de la tête et étirez-vous vers le haut.*

Tête et bras

Appliquez-vous à maintenir les bras étirés vers le haut et les coudes sur les oreilles. Regardez devant vous, au niveau des yeux.

2 *En expirant, pliez les chevilles, les genoux et les hanches et abaissez le derrière comme si vous étiez assis sur une chaise, sans décoller les talons du sol. Tenez pendant 10 à 15 secondes, en vous étirant vers le haut depuis les hanches.*

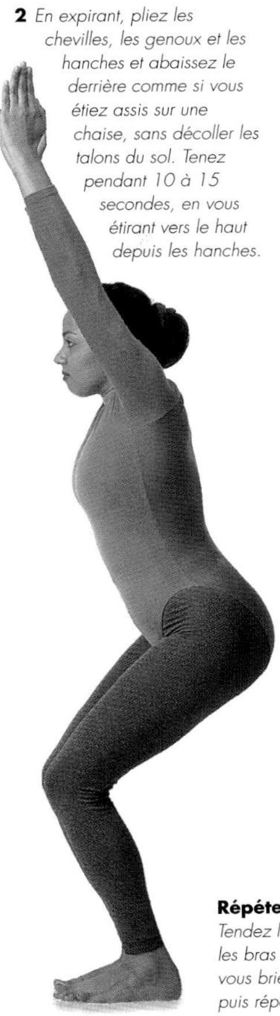

Mains et bras

Il suffit tout d'abord de tendre les mains verticalement au-dessus de la tête (cf. figure ci-dessus). En progressant, rapprochez les paumes le plus possible jusqu'à ce que doigts et paumes se touchent.

Répéter et terminer

Tendez les jambes et abaissez les bras sur les côtés. Tenez-vous brièvement en tadasana puis répétez la pose.

Fortifier les jambes

La position inhabituelle de la colonne et du bassin en position de la chaise transfère le poids du haut du corps aux muscles des cuisses, des mollets et des pieds. Elle fait travailler le puissant muscle quadriceps de la cuisse et les muscles du mollet, qui interviennent certes pour s'asseoir, se lever, courir, monter les escaliers, mais que nous négligeons d'exercer et d'étirer. Nos jambes sont souvent plus faibles que nous ne le pensons, d'où les douleurs de jambes quand on fait du ski. La chaise est une pose excellente pour les adeptes du ski et de l'équitation. C'est la suite et la progression des poses debout, raffermissantes et fortifiantes.

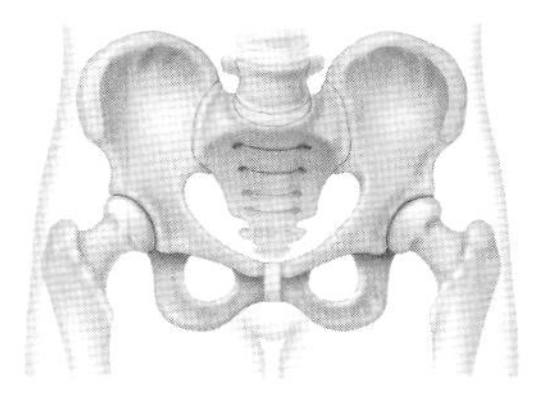

Alignement du bassin

Ne rentrez pas le coccyx mais imaginez que vous étirez le sacrum et les ischions, situés à la base du pelvis, en direction du sol. En même temps, étirez les os de la hanche sur le devant.

Diagonales

Dans cette pose, les bras, le tronc, les cuisses et les mollets forment une successions de diagonales. Si le corps est plié en position assise et le tronc incliné selon une diagonale, la colonne n'en reste pas moins droite. Pour bien exécuter la chaise, un positionnement correct de la ceinture pelvienne est central : elle ne doit être ni basculée en avant, ni ressortie en arrière. Si le bas du corps est raide lorsque vous exécutez la pose, écartez les pieds de 30 centimètres env. au début du point 1. L'étirement des bras tendus est un excellent exercice pour les épaules, partie du corps fréquemment raide.

Nota bene :

- Les épaules et les hanches doivent rester à l'horizontale
- Inclinez le tronc en avant depuis les hanches en gardant le dos droit et étiré vers le haut

Analyse de la chaise

Pour perfectionner la pose de la p. 91, suivez les instructions données sur la figure ci-contre

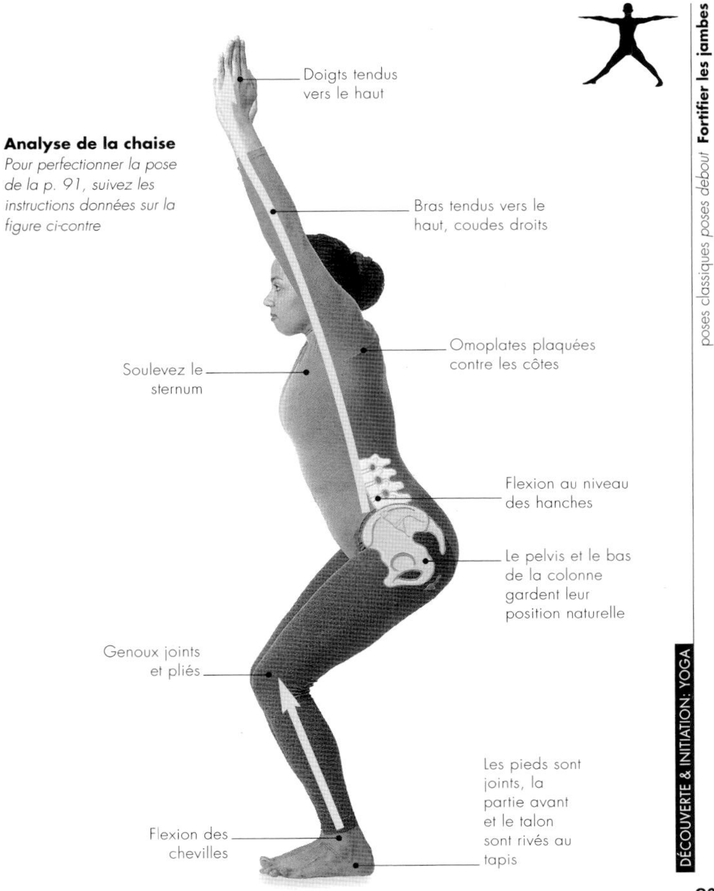

ETIREMENT LATÉRAL

Une inclinaison en avant qui étire les jambes est un bon enchaînement après la pose de la chaise, qui fléchissait les jambes. La pose **parsvottanasana** étire le corps au-dessus d'une jambe qui fait un pas en avant. Cette pose réunit deux exercices, puisqu'en plus, les bras se retrouvent derrière le dos en **namaste**, position de la prière.

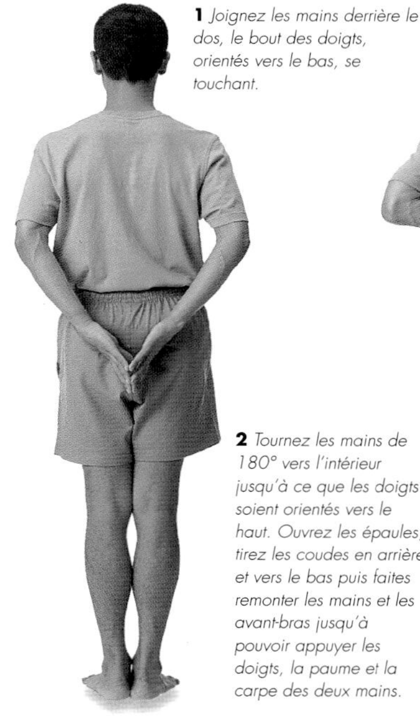

1 *Joignez les mains derrière le dos, le bout des doigts, orientés vers le bas, se touchant.*

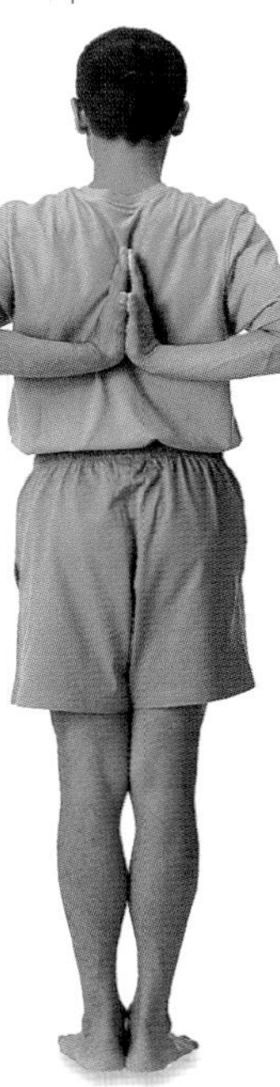

2 *Tournez les mains de 180° vers l'intérieur jusqu'à ce que les doigts soient orientés vers le haut. Ouvrez les épaules, tirez les coudes en arrière et vers le bas puis faites remonter les mains et les avant-bras jusqu'à pouvoir appuyer les doigts, la paume et la carpe des deux mains.*

3 *Les mains en namaste, inspirez et écartez les pieds de 1 mètre env., plus ou moins en fonction de la longueur de vos jambes.*

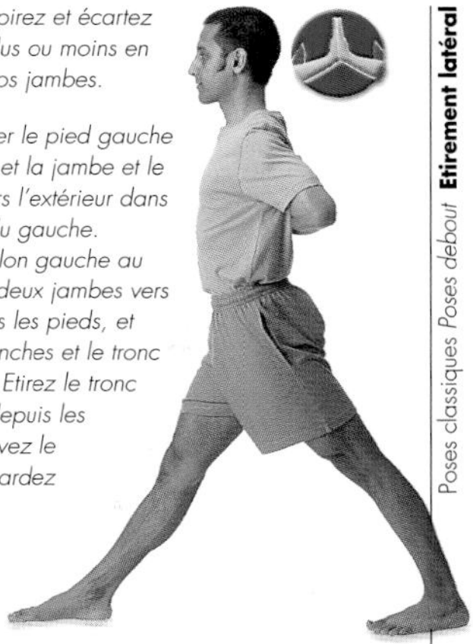

4 *Faites pivoter le pied gauche vers l'intérieur et la jambe et le pied droits vers l'extérieur dans l'alignement du gauche. Appuyez le talon gauche au sol, étirez les deux jambes vers le haut, depuis les pieds, et tournez les hanches et le tronc vers la droite. Etirez le tronc vers le haut, depuis les hanches. Relevez le sternum et regardez vers le haut.*

5 *Inclinez-vous vers l'avant depuis les hanches jusqu'à ce que la tête touche le tibia. Tenez la pose 10 à15 secondes.*

Répéter et terminer

Inspirez et, en rentrant le coccyx, relevez le tronc depuis les hanches. Tenez-vous droit et, les bras encore en namaste, tournez les hanches, le tronc et les deux pieds de face. Tournez les pieds vers la gauche et répétez les points 1, 2 et 3 en vous tournant vers la gauche. Reposez-vous brièvement puis répétez l'ensemble de la pose.

Etirement intense

Cette pose est un étirement en profondeur du corps – son nom sanscrit signifie "étirement intense". En vous inclinant en avant, les muscles et les articulations des jambes, celles des genoux et des hanches ainsi que les côtés de l'abdomen et la poitrine subissent un étirement. Simultanément, la position de la prière sollicite les muscles pectoraux du haut de la poitrine, les bras et les muscles qui commandent les épaules et la clavicule.

Position des mains

Cette pose comporte la position de la prière, namaste, que l'on connaît mieux sur le devant que sur l'arrière du corps. La rotation du poignet vers l'intérieur et le haut, le bout des doigts se touchant dans le dos, risque fort de nécessiter un certain entraînement. Une fois les doigts orientés vers le plafond, ouvrez les épaules et tirez les avant-bras en arrière en étirant les coudes vers le bas. Cela vous aidera à remonter les avant-bras et les mains jointes dans le dos. Plus vous les remontez, plus la poitrine s'ouvrira. Avec de l'entraînement, vous arriverez non seulement à faire se toucher les doigts, mais aussi les paumes, les pouces et les carpes des mains.

Etirement vers le haut

Des jambes fortes sont la base d'une inclinaison en avant. Avant de vous incliner, étirez-vous des pieds à la tête. Soulevez les voûtes plantaires et étirez les deux jambes vers le haut, la jambe de droite plus intensément encore, car vous appuyez fortement sur le bord extérieur du talon. Vérifiez que les deux hanches sont à la même hauteur et au même niveau, tout en tirant les bras bien en arrière. Relevez le tronc depuis les os de la hanche en soulevant le sternum et en regardant vers le haut.

Inclinez-vous en séparant le tronc des jambes. Ressentez l'intense étirement dans le coté des jambes, qui a pour effet secondaire d'aplanir le bas de l'abdomen, donnant de ce fait plus d'espace aux poumons pour respirer.

Nota bene :

- tirez les épaule en arrière, étirez le haut du bras en direction des hanches et gardez les mains jointes pendant toute la pause afin d'ouvrir la poitrine un maximum.
- ne laissez pas sortir la hanche droite lorsque la jambe droite est en avant ou vice versa. Les hanches doivent être parfaitement de niveau et au même plan pendant toute la pose.

Analyse des étirements latéraux

Une fois que vous maîtrisez la position des mains, travaillez les points suivants pour parfaire l'étirement latéral de la p. 95.

Le haut du bras est étiré en arrière en direction des hanches

Les mains sont jointes et le bout des doigts est orienté vers la tête

Inclinaison des hanches, les hanches étant de niveau

Les jambes sont ouvertes au niveau de l'articulation de la hanche

La tête touche le tibia, la nuque est détendue

ETIREMENT JAMBES ÉCARTÉES

Etirer les jambes en position écartée fait travailler les adducteurs des hanches, souvent trop peu sollicités, qui assurent la rotation des jambes vers l'extérieur. **Prasarita padottanasana** favorise la circulation sanguine dans le tronc et vers la tête et, dit-on, l'amincissement des hanches.

1 *En tadasana, tendez les bras au niveau des épaules, inspirez et écartez les pieds de 1,5 mètres environ ou d'une enjambée. Les orteils sont au même niveau et les deux pieds légèrement tournés vers l'intérieur.*

2 *Etirez les jambes et le tronc vers le haut, placez les mains sur les hanches et inclinez le tronc en avant. Posez les mains au sol, au-dessous des épaules et dans l'alignement des pieds et regardez en avant.*

3 *Etirez la colonne vers l'avant, expirez, pliez les coudes et, tout en les maintenant parallèles, baissez la tête entre les deux mains jusqu'à ce qu'elle touche le tapis. Tenez la pose pendant 10 à 15 secondes sans écarter les coudes.*

Répéter et terminer

Relevez la tête et tendez les bras. Inspirez, redressez le dos et levez-vous. Expirez, joignez les pieds, reposez-vous et recommencez.

Etirement vers le bas

Relevez le tronc depuis les hanches avant de vous pencher en avant (point 2) depuis les hanches. Redressez la colonne et levez le sternum avant de vous étirer vers le bas (point 3).

Les tendons du jarret

C'est la raideur des jambes qui peut rendre difficile l'étirement jambes écartées pp 98-99. Cette pose est facile pour les danseurs car l'inclinaison en avant des hanches est simple si les tendons des jarrets sont souples. Si vous ne touchez pas le sol, posez les mains sur une pile d'annuaires ou encore sur le siège d'une chaise, le dossier contre le mur.

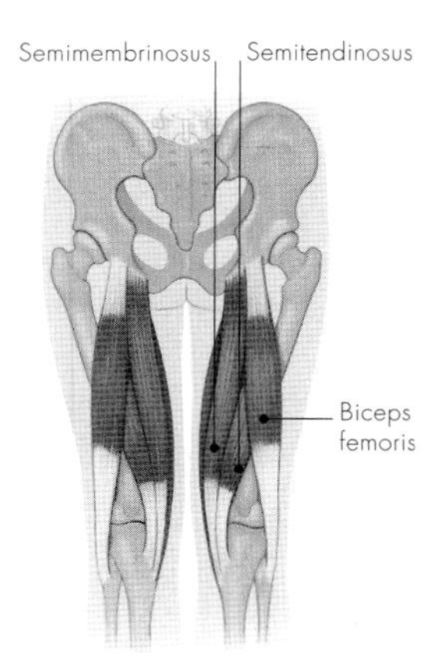

Les tendons du jarret

Trois muscles situés à l'arriere de la cuisse permettent de la maintenir droite ainsi que de plier et tourner le genou. Deux d'entre eux ont des gaines et des tendons longs qui les rattachent aux os du pelvis.

Préparation

En début de pose, lorsque vous écartez les jambes, répartissez le poids du corps également sur les quatre points cruciaux des deux pieds puis soulevez les voûtes plantaires et les chevilles pour que les pieds ne s'affaissent pas vers l'extérieur. Maintenez l'étirement des jambes vers le haut, tenez la colonne et les bras droits et le sternum relevé lorsque vous redressez la tête au point 2, le regard vers l'avant.

Assouplir les tendons du jarret

Pendant toute la pose, il faut simultanément tirer les jambes en arrière et les étirer des pieds aux hanches. Si vos tendons sont raides, ils s'assoupliront rapidement avec l'entraînement. Vos jambes s'assoupliront jusqu'à ce que les mains et finalement la tête touchent le tapis.

Nota bene :

- ne faites pas le dos rond en vous abaissant depuis les hanches au point 2. La colonne doit être légèrement concave (recourbée vers l'intérieur).
- au point 3, gardez les coudes parallèles et rentrés vers la poitrine. Ils ne doivent pas sortir comme des ailerons.
- en abaissant la tête au sol, le poids doit être porté par les pieds en étirant les jambes vers le haut et en maintenant les hanches et les talons alignés.

Analyse de l'étirement jambes écartées

Pour réussir le point 3, entraînez-vous assidument et observez les instructions ci-dessous.

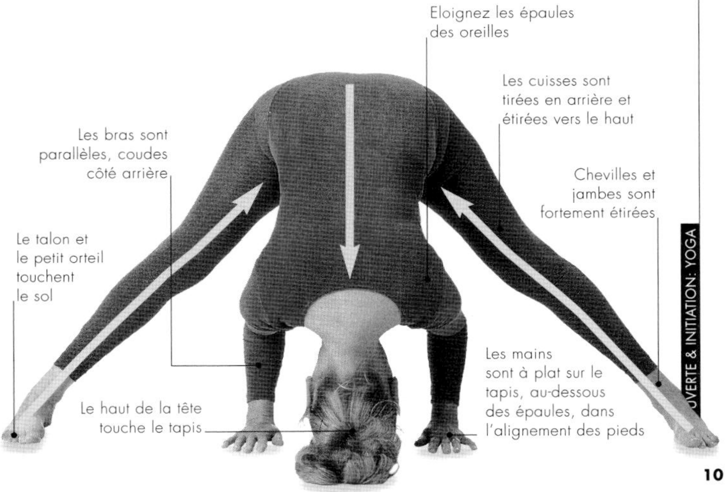

Eloignez les épaules des oreilles

Les cuisses sont tirées en arrière et étirées vers le haut

Les bras sont parallèles, coudes côté arrière

Chevilles et jambes sont fortement étirées

Le talon et le petit orteil touchent le sol

Les mains sont à plat sur le tapis, au-dessous des épaules, dans l'alignement des pieds

Le haut de la tête touche le tapis

TRIANGLE RENVERSÉ

Parivrtta trikonasana est une torsion debout qui commence le tronc orienté vers l'avant pour terminer dans la direction opposée, d'où son nom "triangle renversé". C'est la dernière des positions debout abordées en début de ce chapitre.

2 *Tournez le pied gauche vers l'intérieur pour former un angle de 50° à 60° et le pied droit à un angle de 90°. Balancez ensuite, en expirant, le tronc vers la droite depuis la hanche gauche jusqu'à ce qu'il soit orienté dans la même direction que le pied droit, les bras restant tendus.*

1 *En tadasana, écartez les pieds de 1 mètre environ et levez les bras au niveau des épaules.*

**

3 *Continuez le pivotement du tronc vers la droite. Penchez-vous en partant des hanches et posez la main gauche au sol à côté du pied droit. La tête et le tronc sont orientés dans la direction opposée à celle qu'ils avaient au point 1. Etirez le bras droit vers le haut dans l'alignement du bras gauche, la main gauche parallèle au pied droit, et appuyez la paume et le talon gauches au sol. Regardez vers le haut le bout de vos doigts. Tenez la pose pendant 10 à 15 secondes.*

Répéter et terminer

Relevez et redressez le tronc pour qu'il soit de face, les bras toujours tendus. Répétez les points 1 à 3 en tournant les pieds et le tronc vers la gauche et en pivotant le tronc pour poser la main droite à côté du pied gauche. Reposez-vous puis recommencez.

Rotation du tronc

Dans la pose du triangle des pp. 46 à 49, le tronc reste de face tandis que l'inclinaison se fait vers la gauche ou la droite, une main posée au sol à côté du pied avant. Dans le triangle renversé des pp. 102 à 103, vous faites exécuter au tronc une semi-rotation avant de l'incliner et de poser la main au sol. La pose exerce sur la colonne une torsion bienfaisante.

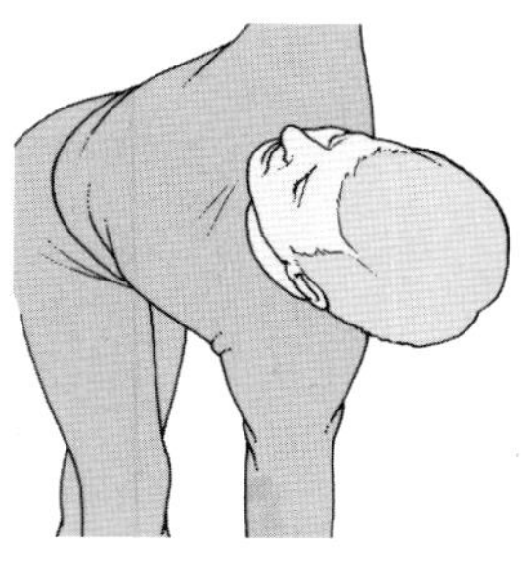

Tête et épaules

Maintenez les épaules en arrière et les omoplates à plat contre les côtes. Redressez la colonne dans l'alignement de la tête de sorte que le cou et la tête forment un angle droit avec les épaules.

De quel côté tourner ?

Vous avez commencé de face, mais en tournant le tronc, la tête suit le mouvement si bien que vous regardez en arrière. Placez-vous près d'un mur, cela vous aidera à savoir de quel côté tourner. Commencez face au mur puis tournez le tronc jusqu'à ce qu'il soit orienté vers la pièce. Etirez les jambes vers le haut et les bras vers l'extérieur avant de tourner le tronc puis inspirez. Plongez en expirant et en faisant tourner les hanches, l'abdomen, la taille et la poitrine.

Détacher la colonne des jambes vous aidera à tourner le tronc et à poursuivre la torsion. Si la colonne n'est pas assez souple, posez la main sur le siège d'une chaise. Répartissez le poids sur les quatre points de chaque pied. Etirez les deux jambes vers le haut depuis la voûte plantaire et appuyez la paume et la carpe de la main à plat dans le sol à côté du pied maintenant à l'avant. En tournant la tête vers le haut, vérifiez que le bras étiré vers le haut parte verticalement des épaules pour que les deux bras forment une ligne droite.

Nota bene :

- inclinez et tournez le tronc depuis les hanches et non la taille.
- maintenez la colonne droite et étirée en direction de la tête.
- gardez les hanches dans l'alignement des jambes et du tronc, tirez le siège dans la direction opposée aux épaules.
- ne crispez pas le cou et les épaules.

La paume droite se détourne du corps, les doigts sont étirés vers le haut

La tête est tournée vers le haut, le regard se porte sur la main droite

Analyse du triangle renversé

Une fois que vous maîtrisez le bon alignement du triangle renversé au point 3 p.102–103, suivez les instructions suivantes.

Les jambes sont ouvertes depuis l'articulation de la hanche

Le talon gauche est solidement ancré dans le tapis

Le pied avant est tourné vers l'extérieur à un angle de 90°

Le pied arrière est nettement tourné vers l'intérieur

La main gauche est parallèle au pied droit

ASSIS ET À GENOUX

Nous allons maintenant aborder les poses assises avec la pose du bâton ou **dandasana**, base de la plupart des asanas assises, et la pose du héros, **virasana**, base des postures à genoux. Elles sont reposantes pour le coeur et calmantes pour l'esprit et les nerfs. Anti-stress, elles favorisent le sommeil.

Pose du bâton

Assis sur un tapis, allongez les jambes et posez les mains au sol de part et d'autre des hanches. Appuyez les mains et les jambes au sol et étirez-vous depuis les hanches. Tenez cet étirement pendant 15 à 20 secondes, puis reposez-vous.

Relever le bas du dos

Dans toutes les poses assises, la colonne doit rester droite, comme représenté ci-dessus. Si le bas du dos s'affaisse, asseyez-vous sur un bloc de mousse jusqu'à ce que les muscles du dos soient assez forts pour tenir la colonne droite sans aide.

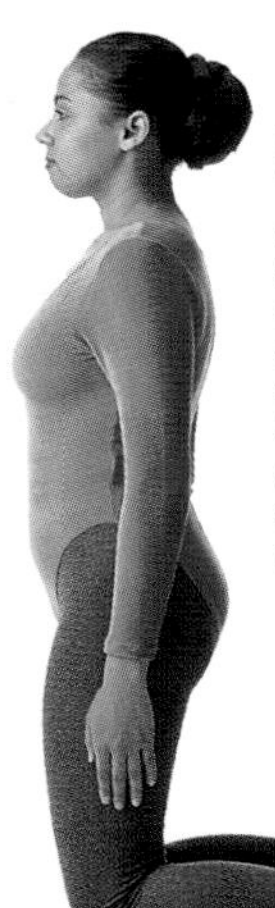

Pose du héro

1 *Assis sur une couverture pliée, les genoux se touchant presque et les pieds écartés d'une largeur de hanches, abaissez les fesses jusqu'à ce que vous soyez assis dans l'espace qui sépare les pieds. Une fois assis, tirez des doigts les muscles du mollet en direction des pieds.*

2 *Tenez la pose en vous étirant depuis les hanches pendant 20 secondes environ Levez ensuite les mains et les hanches pour vous retrouver à genoux, le haut du corps dressé, puis allongez les jambes pour reprendre la position assise de dandasana.*

Assis en arrière

En vous asseyant en arrière au point 2, les fesses doivent toucher le tapis entre vos pieds, comme il est représenté ci-dessus. Si le derrière ne touche pas le sol, intercalez un bloc de mousse ou un annuaire entre les fesses et le sol.

Exercice de base au sol

Dandasana est appelée la pose du bâton car à l'image du bâton, le dos doit être droit. Intercaler un bloc de mousse ou une couverture pliée deux ou trois fois peut être une aide utile. En abaissant le derrière au sol, tirez vers les côtés les grands muscles fessiers charnus. Ensuite, pour vous aider à soulever le tronc, appuyez les jambes au sol et aidez-vous du rebond pour vous étirer depuis les hanches.

A genoux

En virasana, la pose du héros, vous êtes à genoux mais assis entre des pieds largement écartés. Cette position

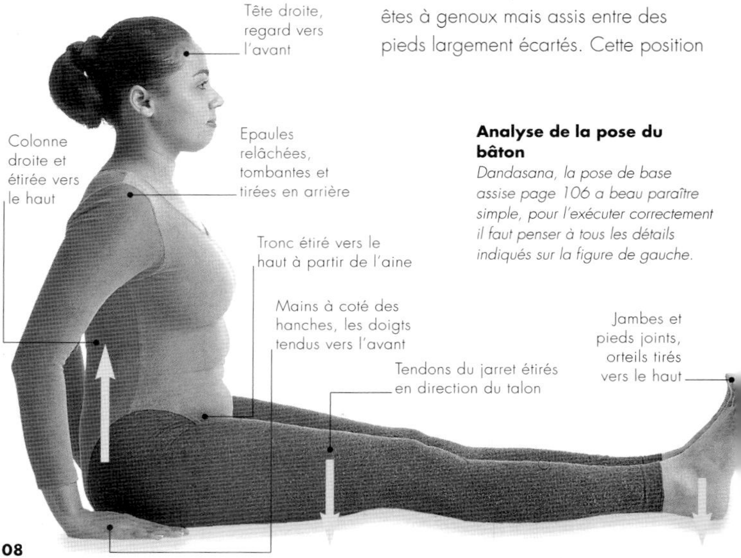

Tête droite, regard vers l'avant

Colonne droite et étirée vers le haut

Epaules relâchées, tombantes et tirées en arrière

Tronc étiré vers le haut à partir de l'aine

Mains à coté des hanches, les doigts tendus vers l'avant

Tendons du jarret étirés en direction du talon

Jambes et pieds joints, orteils tirés vers le haut

Analyse de la pose du bâton

Dandasana, la pose de base assise page 106 a beau paraître simple, pour l'exécuter correctement il faut penser à tous les détails indiqués sur la figure de gauche.

est indiquée en cas de raideur des genoux mais si vos fesses ne touchent pas le sol, les jambes ont tendance à rouler vers l'intérieur. Les genoux sont alors inégalement étirés, ce qui cause une gêne. Si au début les genoux ou les pieds vous font mal, intercalez une petite serviette ou couverture pliée sous chaque genou ou sous les chevilles et les pieds.

Epaules relâchées et en arrière, omoplates plaquées contre les côtes

Sternum relevé

Colonne droite et étirée vers le haut

Analyse de la pose du héro

Pour perfectionner la pose du héro ou virasana de la page 107, observez les indications de la figure de droite.

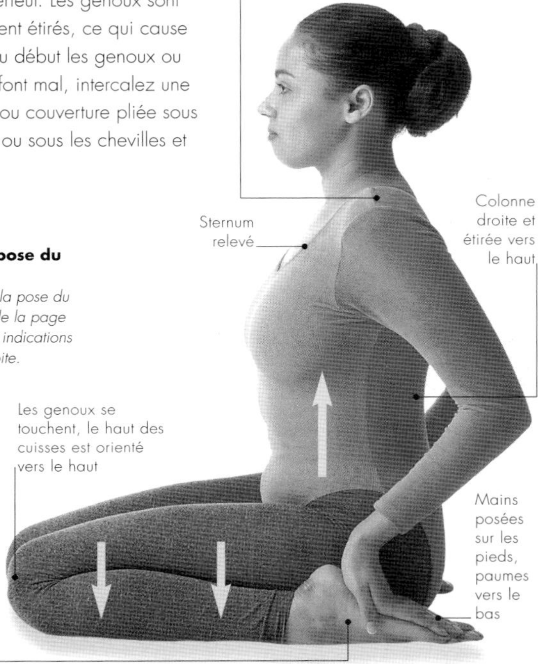

Les genoux se touchent, le haut des cuisses est orienté vers le haut

La plante touche la hanche, les orteils sont tirés en arrière

Mains posées sur les pieds, paumes vers le bas

POSES JAMBES OUVERTES **Baddha konasana**

s'appelle aussi pose du cordonnier en référence aux artisans indiens et à leur position de travail. Les positions assises les jambes écartées à un grand angle et l'étirement jambes ouvertes, **upavistha konasana**, étirent l'aine. On dit qu'elles préviennent les problèmes urinaires et qu'elles soulagent les douleurs des menstruations.

Avec une ceinture

Pour maintenir le dos droit tout en tenant vos pieds, vous pouvez passer une ceinture autour de vos pieds et tirer dessus pour ne pas devoir vous pencher depuis la taille.

Pose du cordonnier

1 *En position du bâton, étirez-vous vers le haut puis pliez les genoux en joignant la plante des pieds.*

2 *Prenez les pieds dans les mains puis tirez-les vers l'aine. Serrez-les et abaissez les genoux au sol tout en vous étirant vers le haut et en relevant le sternum. Tenez 30 à 60 secondes.*

Repos et fin

Posez les mains par terre à côté des hanches, tendez les jambes et reposez-vous.

Etirement jambes ouvertes

1 *Depuis la pose du bâton, étirez-vous vers le haut. Le dos droit et les orteils tirés vers le haut, écartez les jambes autant que possible sans que cela ne fasse mal . Appuyez les mains et les jambes au sol et étirez-vous. En expirant, pliez le tronc vers l'avant en partant des hanches. Etirez les bras vers l'extérieur et attrapez le gros orteil. Tenez la pose de 5 à 10 secondes.*

2 *En expirant, tirez sur les orteils et penchez-vous vers l'avant en vous étirant un maximum, si possible jusqu'à ce que le front touche le sol. Tenez l'étirement de 5 à10 secondes.*

Repos et fin

Inspirez, relevez la tête et le tronc posez les mains sur le tapis à côté des hanches, refermez les jambes et reposez-vous.

Attention

Si vous ressentez une douleur dans les jambes en attrapant les orteils au point 1, ne passez pas au point 2. Inspirez, refermez les jambes et reposez-vous. Revenez à cette pose ultérieurement, lorsque votre dos et vos hanches se seront assouplis.

L'articulation de la hanche

Les deux étirements des pp. 110–111 font intervenir un fléchissement des hanches et un étirement de l'aine. Dans l'étirement jambes ouvertes, la colonne est inclinée un maximum en avant depuis les hanches. Ce mouvement fait travailler la colonne lombaire, les articulations de la hanche et les muscles et tendons des fesses et des cuisses. Pour le cordonnier, les genoux pliés sont abaissés jusqu'au sol et le dos est droit.

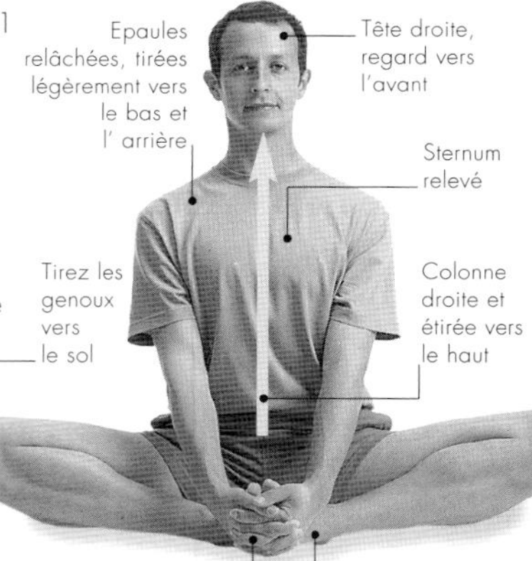

Analyse de la pose du cordonnier

La figure de droite attire votre attention sur des détails importants à observer au point 2 de la pose du cordonnier p. 110.

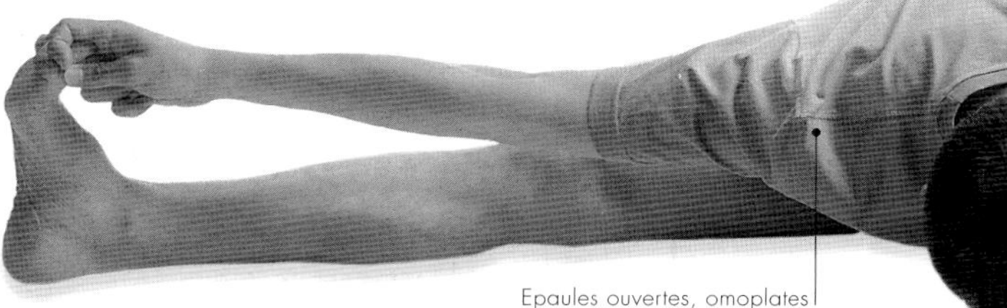

Aides à l'étirement

Commencez les deux poses assis sur une couverture pliée ou un bloc de mousse. Il sera ainsi plus facile de relever le bas du dos et, en position du cordonnier, cela vous aidera à baisser les genoux jusqu'au sol. Si au début les genoux sont très loin du sol, asseyez-vous sur trois couvertures pliées ou deux blocs de mousse.

Si, en vous penchant en avant pendant l'étirement jambes ouvertes, les mains n'arrivent pas jusqu'aux orteils, ne soyez pas tentés de vous incliner depuis la taille. Travaillez le fléchissement de la hanche en tenant les mollets. Si au début le front ne touche pas le tapis, posez-le sur un bloc de mousse.

Analyse de l'étirement jambes ouvertes

Pour exécuter l'étirement jambes ouvertes p. 111, observez les indications suivantes.

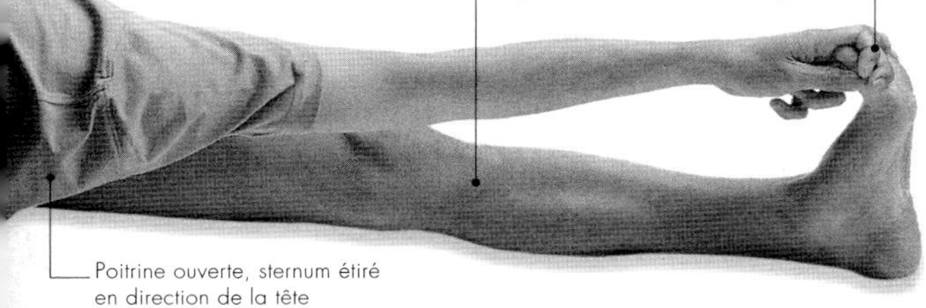

Pliez le tronc en avant depuis les hanches

Les jambes droite et gauche sont à égale distance de la ligne médiane

Le pouce et l'index attrapent le gros orteil

Poitrine ouverte, sternum étiré en direction de la tête

TÊTE-GENOU

La position tête-genou ou **janu sirsasana** est une inclinaison en avant depuis une position assise. Elle stimule les organes digestifs, en particulier le foie et les reins, et on dit qu'elle soulage les dérèglements de la prostate. C'est une pose reposante et apaisante.

1 *Assis en position du bâton, les mains au sol derrière les hanches, pliez le genou gauche sans qu'il quitte le sol et disposez-le à gauche à un angle de 90° avec la jambe droite. Appuyez le pied contre la cuisse droite.*

2 *Appuyez les deux jambes au sol et, en expirant, étirez-vous en avant. Attrapez votre pied droit en gardant le dos droit depuis les hanches. Regardez devant vous, inspirez et tirez sur le pied.*

La pose doit être une détente

Si le genou plié vous fait mal, intercalez un bloc de mousse ou une couverture pliée. La tête et le cou doivent être détendus. Si le front ne touche pas le tibia, intercalez une couverture pliée trois ou quatre fois ou un bloc de mousse.

3 *En expirant, étirez le tronc au-dessus de la jambe droite , le front posé sur le tibia. Tenez l'étirement de 10 à 15 secondes en respirant normalement.*

Répéter et terminer

Relâchez le pied, étirez la jambe gauche, inspirez et levez la tête et le tronc jusqu'à ce que vous soyez assis en position du bâton. Répétez ensuite les points 1 à 3 en pliant la jambe droite

Une colonne droite

Toutes les inclinaisons en avant assises commencent en position du bâton et consistent en un étirement du dos pour le rendre le plus droit possible. En vous penchant en avant pour toucher le genou de la tête en janu sirsasana pp.114 à 115, il s'agit d'élonger le tronc en le soulevant depuis les hanches et de s'étirer en avant depuis l'aine. Si l'inclinaison part de la taille, vous aurez du mal à redresser le tronc et à attraper le pieds avec les mains. Exploitez toutes les possibilités qu'offre la pose pour étirer la colonne, des lombaires aux cervicales, sans oublier d'étirer le tronc, de l'aine au sternum.

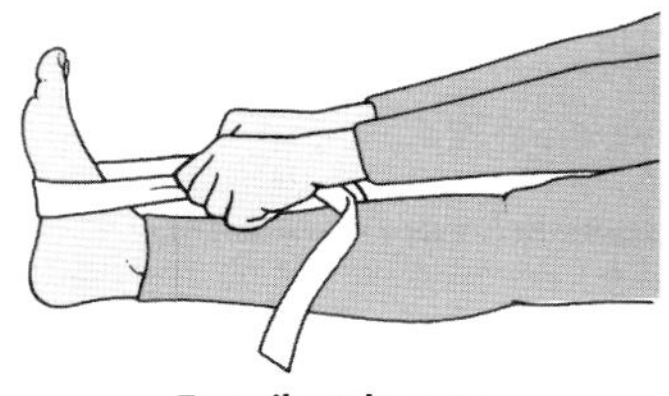

Travail sur la pose

Pour vous incliner depuis les hanches, passez une ceinture autour de votre pied tendu en tenant un côté de la ceinture dans chaque main. Rapprochez les mains du pied en tirant alternativement d'un côté puis de l'autre.

Réussir l'étirement

Au point 2, appuyez les jambes au sol pour prolonger l'étirement avant de baisser la tête sur la jambe allongée au point 3. Si vous arrivez à attraper le pied, tenez-le des deux mains et tirez pour étirer le tronc vers l'avant, sans toutefois trop forcer en essayant de l'atteindre. Aidez-vous plutôt d'une ceinture, comme représenté à la figure ci-dessus, en maintenant la colonne droite et étirée. Vous pourrez ainsi gagner quelques centimètres chaque fois que vous avancerez une main. Si, au début, la tête ne touche pas la jambe, placez une couverture pliée ou un bloc de mousse sur le tibia pour y poser la tête. Placez-en une sous le genou plié s'il vous fait mal. Avec de l'entraînement, votre corps s'assouplira jusqu'à ce que vous arriviez à fermer les mains autour du pied, dans la détente, le front posé sur le genou.

Nota bene :

- en pliant la jambe au point 1, ramenez le pied vers la jambe opposée jusqu'à ce qu'elle touche l'aine et le haut de la cuisse. Attention à ne pas la placer sous la jambe tendue ou sous la cuisse.
- étirez le tronc en direction de la tête, la poitrine parallèle au sol et le sternum dans l'alignement de la jambe droite.

Analyse de la pose tête-genou

Pour exécuter correctement la pose, suivez les instructions données à la figure ci-dessous.

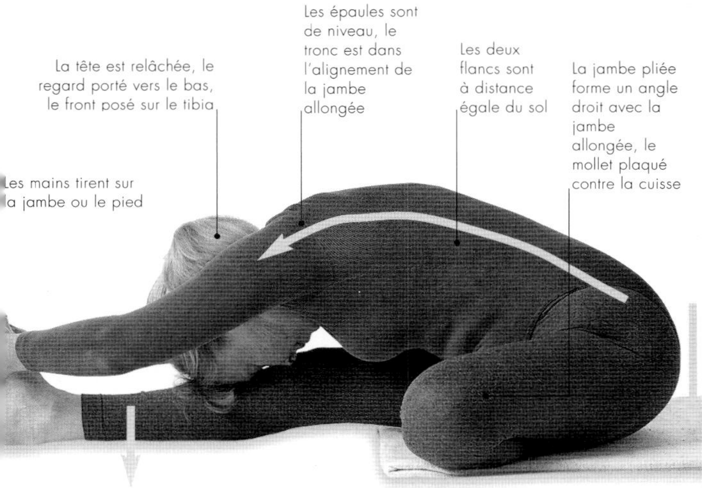

La tête est relâchée, le regard porté vers le bas, le front posé sur le tibia

Les épaules sont de niveau, le tronc est dans l'alignement de la jambe allongée

Les deux flancs sont à distance égale du sol

La jambe pliée forme un angle droit avec la jambe allongée, le mollet plaqué contre la cuisse

Les mains tirent sur la jambe ou le pied

POSE AUX TROIS MEMBRES

Dans cette pose, le corps semble avoir trois membres : les pieds, les genoux et le siège. Son nom sanscrit **triang mukhaikapada paschimottanasana** signifie "la tête touche une jambe". Cette pose stimule la digestion et détend le coeur et le cerveau. On lui prête des vertus soulageant les douleurs et gonflements des jambes et des pieds.

Jambes alignées

La jambe allongée doit rester droite et étirée en se détachant des hanches, le genou et les orteils tirés vers le haut. Sans changer cette position, ramenez la jambe pliée vers la jambe allongée pour que les cuisses se touchent et l'intérieur du talon touche la fesse.

1 *Assis en position du bâton, les jambes allongées, pliez le genou gauche et ramenez la jambe gauche vers la jambe droite de sorte que le pied gauche se trouve à côté de la hanche gauche, la plante orientée vers le haut.*

2 *Appuyez les deux jambes au sol, dressez la colonne et, en expirant, étirez-vous en avant et attrapez le pied. Allongez le tronc en avant le long de la jambe tendue dans un étirement partant des hanches jusqu'à ce que le front touche le tibia. Tenez 20 secondes environ.*

Mise à niveau du bassin

le pelvis , en particulier les os de la hanche, doivent rester de niveau lorsque vous pliez la jambe au point 1. Les deux os du siège doivent appuyer au sol. pendant toute la pose.

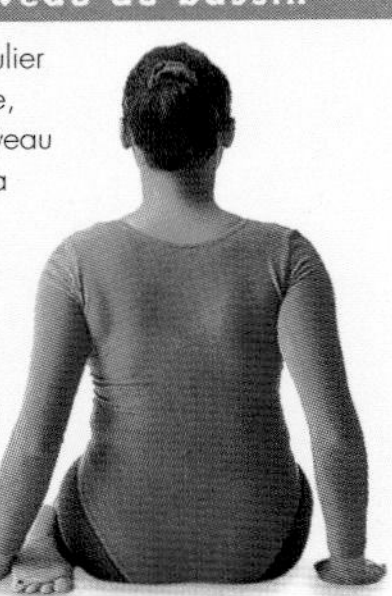

Répéter et terminer

Relevez la tête, étirez-vous et redressez la colonne. Lâchez les mains et relevez le tronc pour vous retrouver en position du bâton. Répétez les points 1 et 2, cette fois-ci en pliant la jambe droite.

Les jambes et les pieds

Les jambes et les pieds sont souvent sur-sollicités mais sous-entraînés. La pose aux trois membres des pp. 118-119 aide à remédier à ce déséquilibre. La jambe est pliée et étirée, l'articulation du genou est entraînée, celle de la cheville est étirée et fléchie et la voûte plantaire est renforcée. L'étirement en direction du pied de la jambe allongée enfoncée au sol est un bon exercice pour le tendon du jarret, les quadriceps de la cuisse et les muscles du mollet.

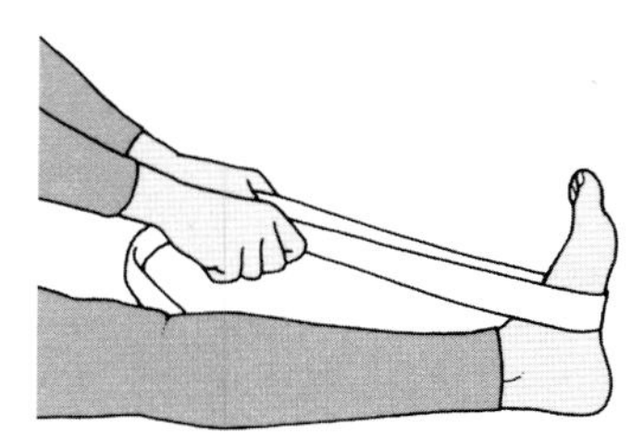

Avec une ceinture

Passez une ceinture autour de la plante du pied en tenant une extrémité dans chaque main. Etirez la colonne vers le haut. Pour vous incliner depuis les hanches, les mains doivent tirer et le pied appuyer sur la ceinture.

Trois membres

Dans la position aux trois membres, le troisième membre entendu est le siège, ce qui souligne le rôle actif des hanches dans les inclinaisons en avant. Commencez en position du bâton, les hanches de niveau, et exercez une pression égale sur les deux os du siège en pliant la jambe et en penchant le tronc en avant. Si vous avez du mal à garder les hanches de niveau, rehaussez le niveau du bassin en vous asseyant sur une couverture pliée. La pose tête-genou pp. 114–115 faisait travailler les adducteurs (les muscles qui articulent la jambe au niveau de la hanche). Cette pose, en revanche, fortifie les adducteurs, ces muscles qui permettent de tourner la jambe vers l'intérieur et de maintenir les cuisses parallèles et à plat.

Appuyez les hanches et les deux jambes au sol et relevez le tronc avant de vous étirer en avant. Si vous n'atteignez que le mollet, aidez-vous d'une ceinture (cf. ci-contre). Si la tête ne touche pas le tibia, posez-la sur un oreiller, voire le siège d'une chaise.

La pose aux trois membres améliore la mobilité de l'articulation de la hanche. Avec un peu d'entraînement, vous pourrez facilement passer les mains derrière le pied.

Nota bene :

- maintenez l'équilibre ; le centre de chaque cuisse doit être face au plafond pendant toute la pose.
- tirez sur le pied pour avancer le corps par effet de levier, en pliant les coudes et en les maintenant à même distance du sol.
- étirez autant le devant du corps, du bassin au sternum, que le le dos.

Analyse de la pose aux trois membres

Dans le yoga,un positionnement exact des parties du corps est essentiel. Suivez donc les indications données ci-dessous pour l'exécution du point 2 de la pose p.119.

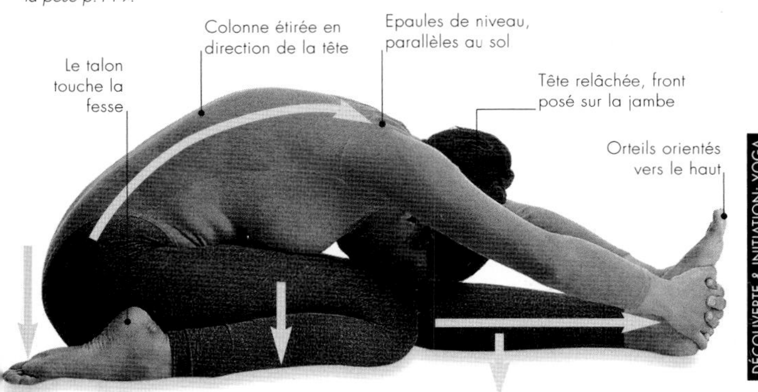

INCLINAISON AVANT ASSISE

Dans cette inclinaison avant dénommée **paschimottanasana**, le corps entier est allongé en avant depuis les hanches, comme s'il se pliait en deux. Le positionnement du coeur en-dessous de la colonne réduit l'effort qu'il doit fournir, étire la colonne et augmente la circulation sanguine vers le bas du corps. Son action est calmante, relaxante, rafraîchissante et revitalisante.

1 *En position du bâton, appuyez les mains et les jambes au sol et étirez-vous vers le haut.*

Attention

Comme toutes les inclinaisons avant, celle-ci ne doit pas être exécutée à fond si vous souffrez de problèmes de dos. Pour tirer le meilleur parti de cette pose, rehaussez le niveau du bassin et n'allez pas au-delà du point.2.

2 *En expirant, penchez-vous depuis les hanches, tendez les mains en avant et attrapez les côtés de vos pieds en tenant la colonne droite.*

Travailler la pose

Pour attraper les pieds, ne vous penchez pas depuis la taille. Passez plutôt une ceinture autour de la plante de vos pieds et descendez les mains le plus possible, augmentant de ce fait à chaque fois l'étirement, qui doit partir des hanches.

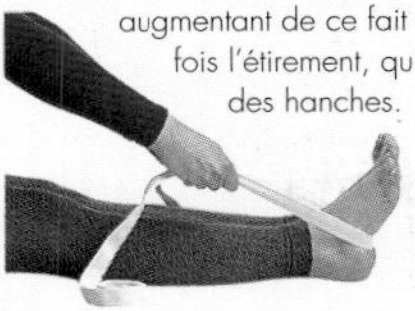

3 *Etirez le tronc le long des jambes. Pliez les coudes vers l'extérieur en tirant sur les pieds et baissez la tête jusqu'à ce que le front repose sur les tibias. Tenez 20 secondes environ.*

Fin et repos

Relevez la tête et relâchez les mains. Tout en maintenant le dos droit, relevez le tronc jusqu'à vous retrouver en position du bâton, puis reposez-vous.

Un étirement extrême

L'inclinaison avant assise des pp. 122–123 est la dernière d'une série de trois inclinaisons avant. Des trois, c'est celle qui étire le plus le corps. A moins d'avoir le dos très souple ou les articulations de la hanche flexibles, il se peut qu'il vous faille beaucoup de temps avant de la réussir sans aide. Si, en vous penchant en avant, vous n'atteignez que les genoux ou les mollets, commencez par vous asseoir sur des couvertures pliées et aidez-vous de ceintures tout en maintenant le dos le plus droit possible. Commencez p. ex. par placer une chaise basse au dessus de vos jambes tendues et posez le front sur le siège ou bien placez un ou plusieurs blocs de mousse sur vos genoux. Le corps s'assouplissant, l'inclinaison avant sera plus facile.

L'énergie de l'étirement

L'inclinaison depuis les hanches sera d'autant plus facile que vous vous étirerez depuis les hanches. L'allongement de la colonne qui en résulte permet de descendre un peu plus bas. Dans une pose difficile, le tronc a tendance à s'affaisser en arrière. Ménagez des pauses pour bien asseoir les os du siège, les jambes et les pieds au sol. Vous puiserez ainsi l'énergie d'étirer la colonne et le sternum en direction de la tête. Attrapez vos pieds, étirez les coudes des deux côtés (ou tirez sur la ceinture) au fur et à mesure que le tronc s'étire. Avec le temps, vous arriverez à refermer les mains autour de vos pieds et à reposer le tronc et le front sur vos jambes. En tenant cette position calme et reposante, respirez normalement et de facon rythmée.

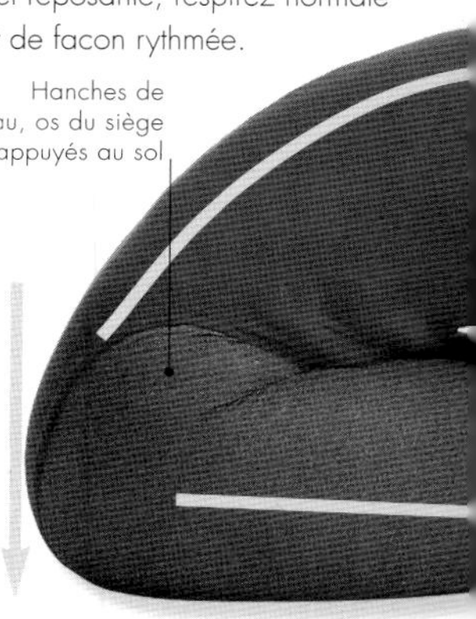

Hanches de niveau, os du siège appuyés au sol

Nota bene :

- inspirez avant de vous étirer et expirez pendant l'étirement
- gardez les épaules détendues et les omoplates plaquées contre les côtes
- en penchant le tronc en avant, imaginez que votre colonne est en train de s'allonger et de se redresser.

Analyse de l'inclinaison avant assise

Pour effectuer l'étirement avant en entier au point 3 p. 123, suivez les instructions données à la figure ci-dessus.

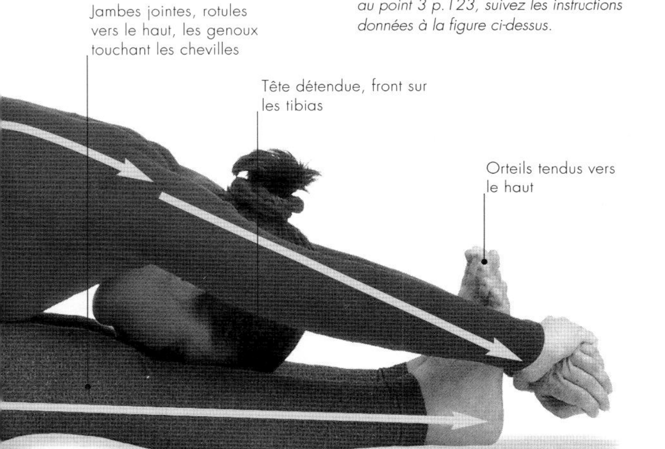

POSE DU CORDONNIER AU SOL

Cette version allongée de la pose du cordonnier, **supta baddha konasana**, est une pose passive et une position reposante. Elle dispense un bon étirement de l'aine, stimule la circulation sanguine dans la région du bassin et raffermit les muscles des jambes et des hanches.

1 *Asseyez-vous en position du cordonnier, la pointe des orteils en contact avec un mur et les mains au sol de part et d'autre des hanches.*

2 *Les mains appuyées au sol, soulevez légèrement les hanches du tapis et rapprochez le siège le plus possible des talons. Reposez le tronc sur le tapis avec les mains.*

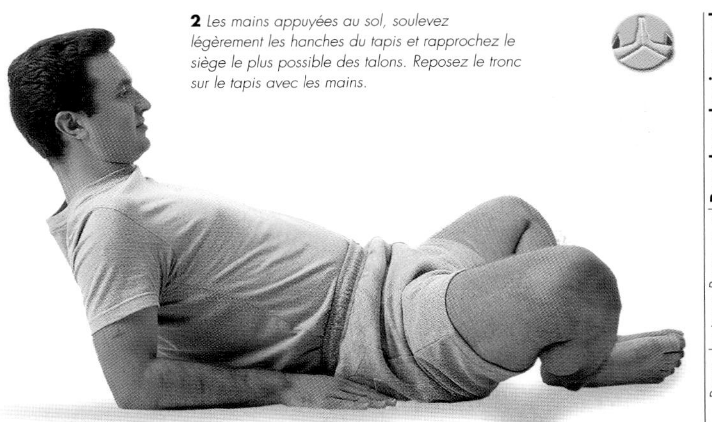

3 *Soulevez les hanches du tapis, rapprochez le siège des talons puis reposez-les. Posez la tête sur le tapis et détendez les bras au-dessus de la tête. Tenez la pose 1 à 2 minutes.*

Fin et repos

Rangez les bras le long du corps, les jambes repliées, roulez sur le côté puis passez en position assise, le dos droit. Allongez ensuite les jambes et reposez-vous.

Une pose reposante

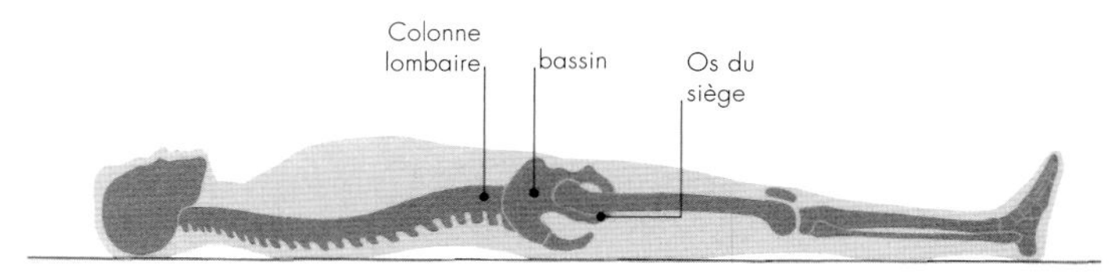

Les poses au sol peuvent au premier abord sembler plus difficiles que les poses debout- pour la simple raison que le sol est dur alors que l'air n'offre pas de résistance. Elles sont néanmoins plus reposantes : la position allongée invite en effet à la détente. La pose du cordonnier au sol en est l'exemple parfait. C'est une pose passive dans laquelle on s'étire sans changer de position, si bien qu'elle est plus reposante exécutée au sol que ne l'est la position assise du cordonnier p. 110. Or, comme toutes les poses allongées, elle ne peut être reposante

Eviter les désagréments

Positionnez le pelvis correctement avant de vous allonger pour rapprocher la colonne lombaire du tapis, ce qui rendra la position plus confortable.

que si le creux qui se forme dans le bas du dos en position allongée est réduit sous l'effet de l'étirement de la colonne lombaire. Pour ce faire, soulevez le

La tête est dans l'alignement du tronc, le regard vers le haut

Les épaules sont détendues, appuyées au sol

Les bras sont étendus derrière la tête, les paumes face au plafond

siège et rapprochez les hanches des talons au point 2.

Soutien du haut du corps

Avant de commencer, posez une couverture au sol, pliée en carré, à l'emplacement de la taille et de la tête, qui soutiendra le haut du dos. Pour bien étirer les cuisses et l'aine, cette dernière doit être le plus proche possible des pieds. Si cependant les genoux sont raides, laissez plus d'espace entre l'aine et les pieds. Allongez-vous bien au centre de la couverture et concentrez-vous sur l'étirement du bas du dos et des os du siège vers le mur, comme pour les détacher de la taille.

Nota bene :

- commencez la pose les orteils touchant un mur, pour que les pieds ne glissent pas insensiblement et ne s'éloignent de l'aine en cours d'étirement.
- maintenez l'étirement des os du siège en direction de la tête et celui des os du siège en direction des pieds.

Analyse de la pose du cordonnier au sol

Pour exécuter correctement l'étirement du point 3, suivez les instructions ci-dessous.

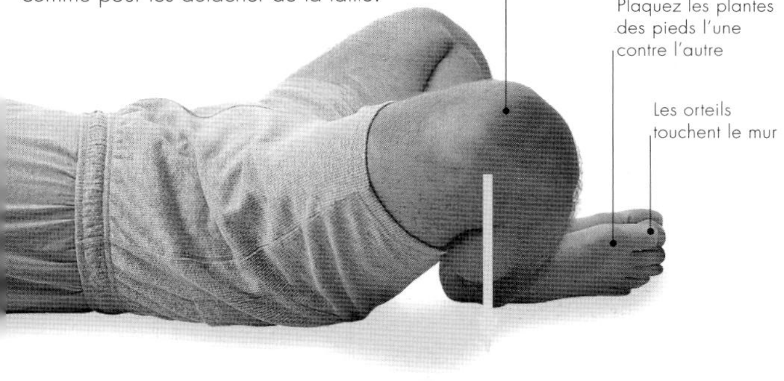

Les genoux retombent

Plaquez les plantes des pieds l'une contre l'autre

Les orteils touchent le mur

POSE DU CHIEN

Cette pose, appelée **adho mukha svanasana**, imite un chien en train de s'étirer la croupe en l'air. C'est une pose guérissante, qui soulage raideurs des épaules et douleurs et fatigue des jambes et des talons. Ralentissant le rythme cardiaque et fortifiant le cerveau et le système nerveux, elle est aussi indiquée en cas d'épuisement.

1 *Allongez-vous à plat sur une surface non-glissante, les coudes pliés et les mains sur le tapis. Les paumes sont à plat, les doigts écartés, le bout des doigts situés juste au-dessous des épaules. Les pieds sont écartés de 30 centimètres env.*

2 *Expirez, appuyez les mains et les pieds au sol et relevez-vous en position à genoux. Les deux index doivent être parallèles et les doigts étirés vers l'avant. Recourbez les orteils et inspirez.*

Orteils et talons

L'écartement des pieds reste de 30 centimètres pendant toute la pose. Au point 3, abaissez les talons le plus près du sol, sans toutefois trop forcer. Tirez-les vers le tapis tout en étirant les jambes vers le haut, en direction des hanches.

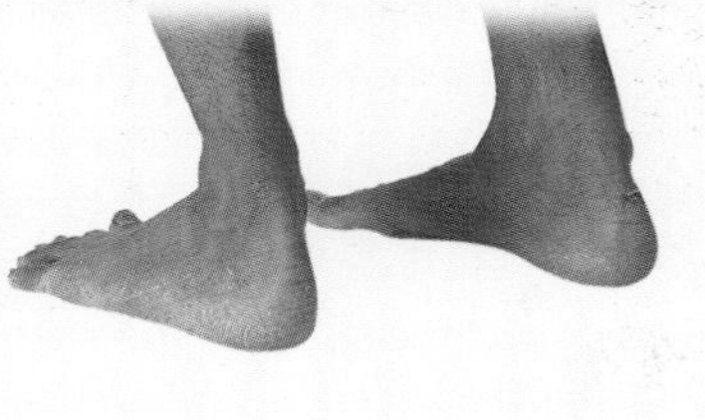

3 *Expirez et relevez les hanches pour que le corps forme un V à l'envers. Etirez les bras, le tronc et les jambes vers le haut, en direction des hanches en appuyant les mains et les talons au sol. Relâchez la tête entre les épaules. Tenez l'étirement pendant 15 à 20 secondes.*

Fin et repos

Relevez la tête, repliez les jambes en position assise et reposez-vous en effectuant une inclinaison assise en avant.

Le plein d'énergie

La pose du chien est un étirement du corps entier tonifiant la circulation du sang, très indiqué en cas d'épuisement. Pour réussir l'étirement entier, veillez à un bon alignement de toutes les parties du corps : tout d'abord des mains, doigts écartés, les majeurs parrallèles, le bout des doigts au niveau des épaules. L'étirement commence dès que vous levez les hanches. Appuyez sur les pieds et les mains et étirez les bras vers le haut. Prolongez cet étirement le long des flancs.

Travailler la pose

Dans la mesure du possible, vérifiez dans un miroir que votre corps fait bien un V renversé. Les jambes et le dos doivent être plus droits que sur l'illustration ci-dessus, les talons plus bas. Etirez le tronc et les jambes vers le haut pour les éloigner des mains et des pieds.

Forme en V renversé

Les jambes tendues forment un côté d'un V renversé, les hanches la pointe, le tronc et les bras l'autre côté. N'essayez pas de rapprocher les pieds de la tête pour que les talons touchent le sol les jambes tendues. Plus vous vous étirerez, plus les talons descendront. Etirez-vous donc intensément pour faire descendre les talons. Appuyez les pieds au sol et étirez les cuisses en direction des

Bras droits, écartés de 30 centimètres environ. et parallèles

Mains à plat au sol, doigts écartés, majeurs parallèles

hanches, la pointe du V. Parallèlement, étirez les bras et le tronc vers le haut en direction des hanches. Le cou est détendu et la tête ballante, le haut du crâne touche le sol. Les pieds, les jambes et les mains génèrent un étirement le long du l'arrière du corps, l'abdomen restant détendu.

Nota bene :

- n'exécutez pas la pose sur une carpette ou sur un sol glissant mais sur un tapis à la surface inférieure anti-dérapante ou sur tout autre surface non-glissante.
- ne bougez pas les mains ou les pieds en cours de pose. Au début, placez les mains et les pieds au bon endroit par rapport au corps. Si vous les déplacez, la pose perdra de son efficacité.

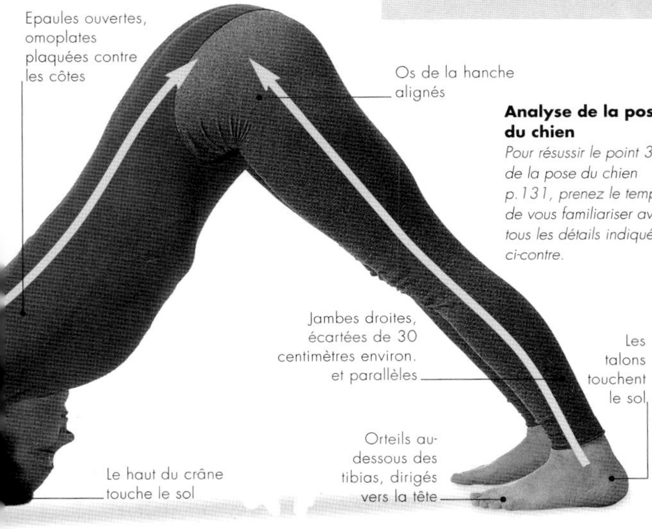

Epaules ouvertes, omoplates plaquées contre les côtes

Os de la hanche alignés

Analyse de la pose du chien

Pour résussir le point 3 de la pose du chien p.131, prenez le temps de vous familiariser avec tous les détails indiqués ci-contre.

Jambes droites, écartées de 30 centimètres environ. et parallèles

Les talons touchent le sol

Orteils au-dessous des tibias, dirigés vers la tête

Le haut du crâne touche le sol

LE PORTAIL

Dans cette pose appelée **parighasana**, le corps rappelle un portail, le tronc et les bras tendus faisant office de partie transversale. Comme pour le triangle, les flancs sont étirés mais la position agenouillée et l'étirement latéral du tronc la rendent quelque peu plus éprouvante que le triangle.

1 *A genoux sur une couverture pliée, les genoux joints et les bras le long du corps, appuyez les jambes au sol, étirez le devant du corps vers le haut et tirez le siège vers le sol.*

2 *Inspirez puis, en expirant, levez les bras au niveau des épaules, les paumes face au sol. Etirez- les bras sur les côtés en tournant la jambe droite vers l'extérieur. Tirez-la vers la droite par la pointe du pied.*

3 *Les bras tendus et le tronc de face, inspirez puis, en expirant, inclinez le tronc vers la droite, en partant des hanches, jusqu'à ce que le dos de la main droite touche la jambe.*

Montée du bras

Le tronc doit rester de face et les épaules ouvertes et au même niveau pour que le haut du bras longe la tempe. Entraînez-vous à l'étirer derrière l'oreille.

4 *Déplacez le bras gauche vers la droite jusqu'à ce que le haut du bras soit au-dessus de l'oreille gauche. Tenez l'étirement pendant 10 secondes maximum.*

Répéter et terminer

Répétez les points 1 à 4, en effectuant l'inclinaison et l'étirement vers la gauche. Retour au point 1, et repos.

Etirement latéral

La pose du portail est un étirement latéral qui incline et étire les hanches et l'abdomen en un mouvement, ce qui en fait un excellent exercice pour amincir l'estomac et la taille. Une pose à genoux, l'étirement du début n'en est pas moins vital pour l'étirement latéral. A genoux, observez donc une pause, ancrez les jambes au sol et étirez-vous de haut en bas : les genoux, l'avant du corps et jusqu'au haut du crâne. Tirez les hanches vers le haut et le siège vers le sol.

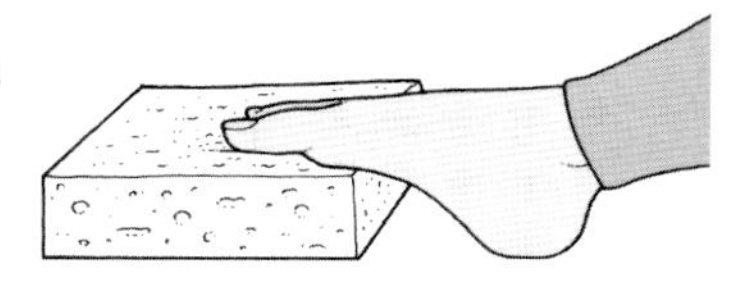

Travailler la pose

Si vous avez du mal à toucher le sol avec les orteils du pied tendu et à maintenir le tibia vers le haut, posez le pied sur un bloc de mousse.

Etirement latéral

En levant les bras, prenez conscience de vos épaules. Ouvrez les clavicules en plaquant les omoplates contre les côtes. En inclinant le tronc, veillez à ce que les épaules et les hanches ne s'affaissent pas vers l'avant et gardez-les alignées comme si les deux fesses et les deux épaules touchaient un mur. Rentrez le coccyx et maintenez le pied tendu dans l'alignement du genou plié. Inclinez-vous depuis les hanches, le tronc restant de face. Depuis les hanches, étirez le corps entier le plus loin possible sur le côté tout en respirant normalement. Vous devez sentir l'étirement qui remonte de la cuisse à l'articulation de la hanche et aux deux flancs.

Les deux bras doivent être droits et le plus près possible de la tête, au-dessus d'elle. Si au début vous avez du mal à les rapprocher, tenez le bras du haut à la verticale. Avec un peu d'entraînement, les articulations de la hanche et de l'épaule se feront plus élastiques, permettant une inclinaison latérale plus prononcée jusqu'à ce que les paumes se touchent et que le dos de la main inférieure soit posée sur le pied.

Nota bene :

- tournez la jambe depuis la hanche en l'étirant sur le côté de sorte que la rotule et le tibia soient orientés vers le haut pendant toute la pose.
- en inclinant le tronc, tournez le visage vers le bras du haut et regardez vers le haut.

Analyse du portail

L'étirement du point 4 n'est efficace que si les indications ci-dessous sont suivies. Notez que le tibia et le pied ne décollent pas du tapis.

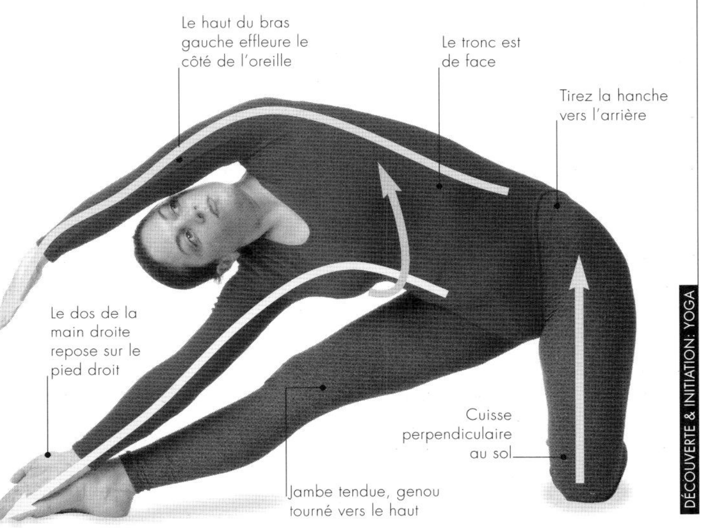

TORSION DE L'ABDOMEN

La posture idéale pour raffermir les muscles abdominaux relâchés, **jathara parivartanasana** améliore aussi le fonctionnement du foie, de la rate, du pancréas et des intestins. On dit que c'est un bon exercice pour mincir qui soulage aussi le mal de dos. Les jambes effectuent un demi-cercle d'un côté du corps à l'autre. La taille ainsi étirée s'en voit revigorée.

1 *Allongé sur le dos sur le tapis, repliez les jambes et tendez les bras sur les côtés, les paumes vers le haut.*

2 *Appuyez les épaules au sol, levez les jambes et ramenez les genoux vers l'intérieur, vers la poitrine.*

Alignement des épaules

Lorsque vous abaissez les genoux vers la droite, ne soulevez pas l'épaule gauche. Les deux épaules doivent rester alignées et en contact avec le tapis pendant toute la pose.

3 *Tout en maintenant l'épaule gauche sur le tapis, faites pivoter les genoux vers la droite en tournant l'abdomen vers la gauche. Tenez la position 10 à 15 secondes.*

Répéter et terminer

Levez les genoux au-dessus de la poitrine et répétez le point 3, cette fois en faisant pivoter les genoux vers la gauche et l'abdomen vers la droite. Revenez au point 1, allongez les jambes et reposez-vous.

Massage par l'exercice

Pivotez lentement les jambes, d'un côté puis de l'autre, en maintenant le haut du dos et les épaules au sol. Cette torsion de la colonne masse et stimule le bas du dos, ce qui soulage le mal de dos. Soulevez les genoux vers la poitrine en début de pose pour étirer le bas du dos, cela génèrera une torsion de la colonne sans forcer. Levez les genoux bien haut au-dessus de la poitrine puis observez une pause pour étirer le siège vers le bas et pour vous étirer, des hanches jusqu'au sommet du sternum et horizontalement, du sternum jusqu'au bout des doigts de chaque main.

Torsion de l'abdomen

Abaissez les jambes doucement et avec maîtrise, sans les laisser tomber, en expirant et en maintenant les hanches et le tronc alignés pour ne pas coincer la colonne. En tenant les genoux près de la poitrine, la rotation partant des hanches, le dos et la taille seront étirés.

Analyse de la torsion de l'abdomen

Pour obtenir l'effet massant en faisant pivoter le bas du corps vers la droite et vers la gauche dans la torsion de l'abdomen p. 139, suivez les indications ici données.

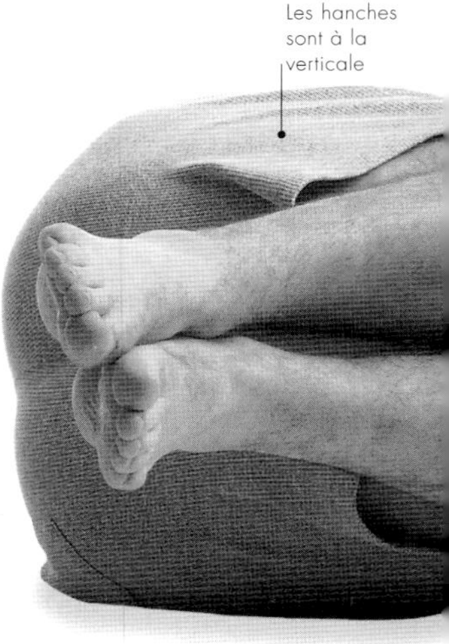

Les hanches sont à la verticale

Nota bene :

- maintenez les hanches dans un alignement vertical pendant toute la pose. La hanche du haut et le tronc ne doivent pas suivre le mouvement des jambes et rouler sur le côté.
- maintenez au sol les deux épaules et la plus grande partie possible du dos lorsque vous faites basculer les genoux vers la droite ou vers la gauche.

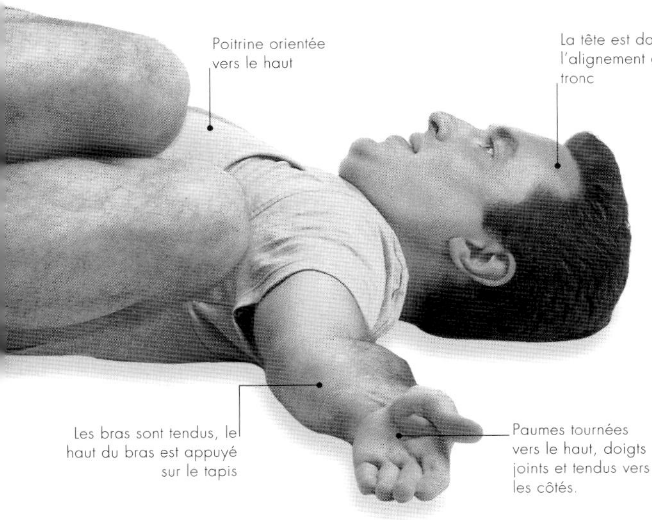

Poitrine orientée vers le haut

La tête est dans l'alignement du tronc

Les bras sont tendus, le haut du bras est appuyé sur le tapis

Paumes tournées vers le haut, doigts joints et tendus vers les côtés.

POSES DU NAVIRE

Ces deux poses renforcent les muscles du dos et du ventre. Toutes deux sont du second degré de difficulté mais le demi-navire, **ardha navasana**, exige plus des muscles abdominaux que le navire avec rames, **paripurna navasana**. Ils revitalisent le dos et font du bien aux organes digestifs : foie, vésicule biliaire, rate et intestins.

Navire avec rames

1 *Assis en position du bâton, appuyez le siège au sol et relevez la colonne et le tronc. En expirant, inclinez le tronc en arrière et soulevez les jambes jusqu'à ce que les pieds dépassent le niveau de la tête.*

2 *Lorsque le tronc retombe en arrière, relevez les bras en les étirant en avant, parallèles au sol. Tenez la pose 10 à 15 secondes en respirant normalement.*

Demi-navire

1 *Assis en position du bâton, placez les mains derrière la tête, les doigts entrelacés, le haut des bras parallèle et relevé. Appuyez les os du siège au sol, tirez la colonne vers le haut et étirez le tronc.*

2 *Inspirez puis abaissez le tronc vers le sol en expirant. Soulevez les jambes jusqu'à ce que les orteils soient au niveau des yeux. Tenez la pose 5 à 10 secondes puis reposez-vous.*

Tenir en équilibre

Dans les deux poses du navire des pp. 142–143, le dos est abaissé et les jambes sont soulevées, en équilibre sur le siège. Dans la posture entière du navire, le tronc et les jambes sont soulevés à un angle de 60° par rapport au tapis, le corps formant un V presque parfait. Dans la pose du demi-navire en revanche, dos et jambes sont soulevés à un angle plus ouvert.

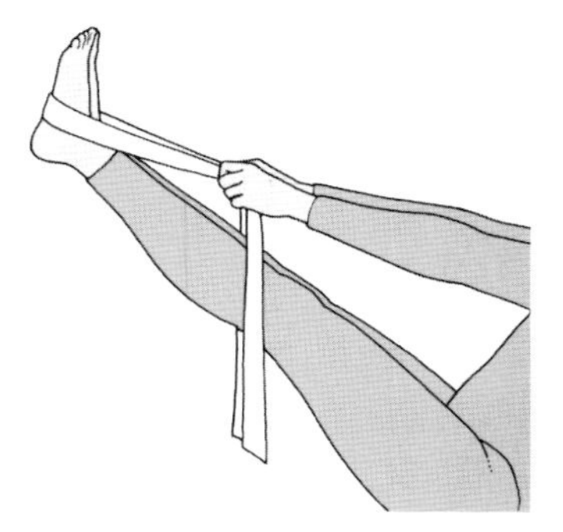

Garder l'équilibre

Dans ces poses, l'équilibre ne tient qu'à une chose : l'étirement. Colonne et tronc doivent rester relevés, les os du siège appuyés au sol et les jambes raides comme des piquets, collées l'une à l'autre et étirées en direction des talons. Inspirez en vous étirant et expirez en soulevant les jambes et les bras. Respirez ensuite normalement jusqu'à la fin de la pose.

Basculez sur les os du siège en soulevant les jambes. En posture entière du navire, posez les mains au sol à côté des hanches pour garder l'équilibre jusqu'à ce que les jambes soient relevées, puis tendez les bras en avant. Si vous avez du mal à trouver l'équilibre, pliez les jambes, refermez les mains autour de l'arrière des genoux et tirez sur les jambes en étirant le tronc.

Navire entier
Si vous avez du mal à tenir la pose, travaillez à fortifier les muscles du dos et de l'abdomen. Passez par exemple une ceinture autour de vos pieds, en tenant une extrémité dans chacune de vos mains. Tirez la ceinture pour relever et fortifier le dos.

Orteils au niveau des yeux

Nota bene :

- ne retenez pas votre respiration en tenant la pose.
- si les muscles de l'abdomen se mettent à trembler, passez outre, dans la mesure où cela ne fait pas mal. C'est signe que les muscles travaillent.
- maintenez les épaules basses et détendues de sorte que les omoplates soient plaquées contre les côtes. Si le cou et les épaules sont tendus, reposez-vous et reprenez la pose plus tard.

Analyse du demi-navire

L'équilibre en posture du demi-navire demande de l'entraînement. Les conseils donnés ci-dessous vous aideront à tenir la posture.

Tête et cou droits, regard dirigé vers l'avant

Bras relevés

Epaules en arrière, omoplates plaquées contre les côtes

Tronc étiré vers le haut

Jambes droites et tendues à un angle de 30°

Bas du dos appuyé au sol

ETIREMENTS JAMBES AU SOL

La suite de mouvements au sol appelée **supta padangusthasana** opère un étirement des jambes et fait travailler les hanches. Sont abordés ici deux mouvements qui tonifient la circulation sanguine dans le bas du corps, ce qui fait d'eux de bons exercices d'échauffement des jambes et des pieds par temps froid. De plus, ils assouplissent les articulations de la hanche.

Supta padangusthasana I

1 *En supta tadasana, pliez les genoux et portez-les à la poitrine. Faites ensuite glisser les pieds au sol jusqu'à ce que les jambes soient droites.*

2 *Appuyez la jambe gauche au sol et levez la jambe droite en pliant le genou. Attrapez le gros orteil entre les doigts et le pouce de la main droite.*

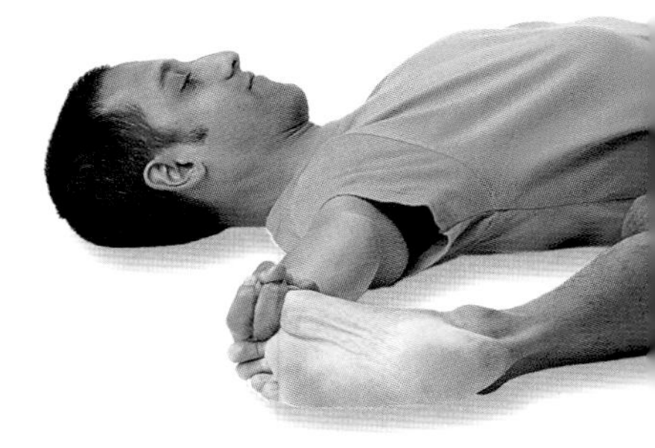

3 Sans lâcher l'orteil, tendez la jambe droite. En la maintenant droite, rapprochez-la le plus possible de la tête. Tenez 10 secondes environ.

De l'autre côté et repos

Lâchez l'orteil et reposez la jambe et le bras sur le tapis. Répétez les points 2 et 3 en soulevant la jambe et le bras gauches, puis reposez-vous.

Supta padangusthasana II

4 *Répétez les points 1 à 3 de supta padangusthasana I puis posez la main gauche sur la cuisse gauche et appuyez fort. Ouvrez la jambe droite depuis la hanche et baissez jambe et bras droits jusqu'au sol. Tenez la pose pendant 10 secondes.*

Répéter et terminer

Reposez-vous en supta tadasana puis répétez le point 4, cette fois-ci du côté gauche .

Comment tenir l'orteil

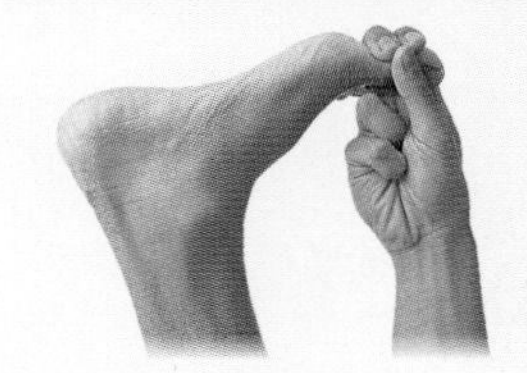

Tenez l'orteil entre le pouce, l'index et le majeur.

Articulations de la hanche

Tendez les jambes pendant les étirements des pp. 146–147, cela mobilisera les hanches et les jambes. En début de pose, genoux, chevilles et gros orteils doivent se toucher. Lorsque vous levez une jambe, ne dérangez pas la position de l'autre, qui doit rester appuyée sur le tapis, étirée en direction des orteils tirés vers le haut pendant le reste de la pose.

Au point 3, étirez la jambe droite vers le haut et rapprochez-la petit à petit de la tête. La jambe doit être étirée de la hanche au talon. Maintenez le pied perpendiculaire à la jambe, dans la position qu'elle avait avant de quitter le sol. En attrapant l'orteil ou en tirant sur une ceinture, ne tirez les orteils ni vers le bas ni vers le haut.

Second mouvement

Le second mouvement de cette suite – padangusthasana II – est le point 4 de la page 147. Ouvrez quelque peu la jambe levée au niveau de l'articulation de la hanche avant de l'amener au sol sur la droite, en ancrant solidement au sol la hanche gauche. Maintenez-la droite et abaissez-la en direction de la tête de sorte que lorsqu'elle touchera, le bras sera aligné sur l'épaule. Abaissez-la le plus possible au début et si nécessaire. Posez-la sur des livres ou des blocs de mousse placés près du tronc.

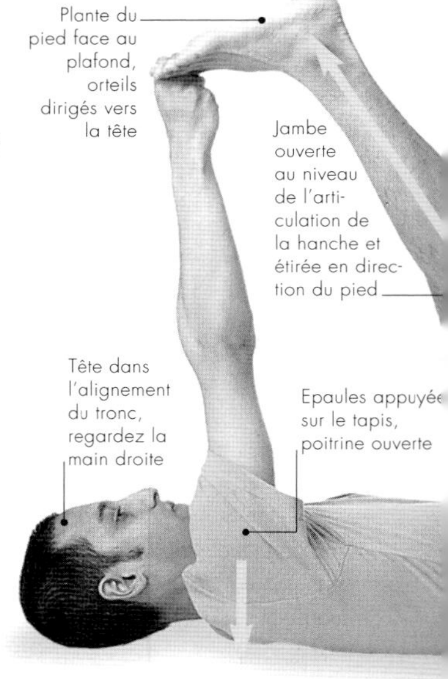

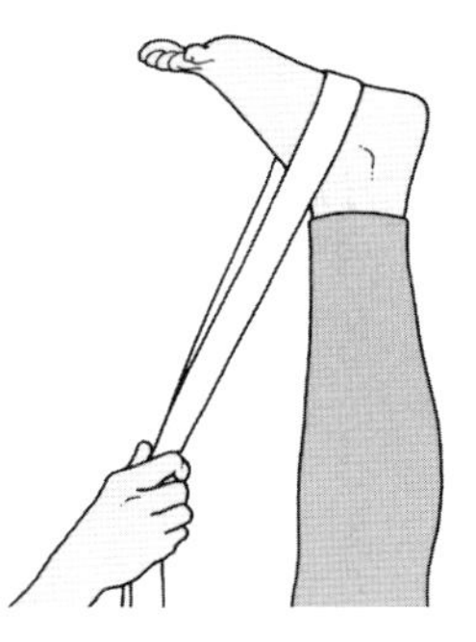

Travailler la pose

Si vous n'arrivez pas à tendre la jambe en tenant le gros orteil, passez une ceinture autour de votre pied au point 1 de padangusthasana I et maintenez les deux extrémités dans la main relevée le plus près possible du pied.

Nota bene :

- abaissez les jambes au sol avant de les avoir tendues au point 1. Si vous les tendez en l'air, leur poids fera remonter le bassin et cambrera les reins, provoquant d'éventuelles douleurs de dos.
- ne laissez aucune des jambes rouler vers l'extérieur. Genoux, tibias et orteils sont orientés vers le haut (points 1 et 2), la jambe et le pied levés tirés en direction de la tête au point 3.
- Si vous vous aidez d'une ceinture, tenez-la d'une main. La jambe reste étirée vers le haut, le pied appuie dans la ceinture.

Analyse de supta padangusthasana I

Les précisions de la figure ci-desous vous aideront à exécuter le pt. 3 de padangusthasana I p. 147.

Hanches horizontales

Orteils tendus vers le haut

Jambe droite appuyée au sol

POSE DU HEROS AU SOL Supta virasana

est similaire à la pose du héros (p. 106), à ceci près qu'elle est exécutée au sol, en position allongée, les bras tendus au-dessus de la tête. Etirant tout l'avant du corps, des cuisses au cou, elle est particulièrement indiquée contre les douleurs aux jambes dues à des stations debout prolongées.

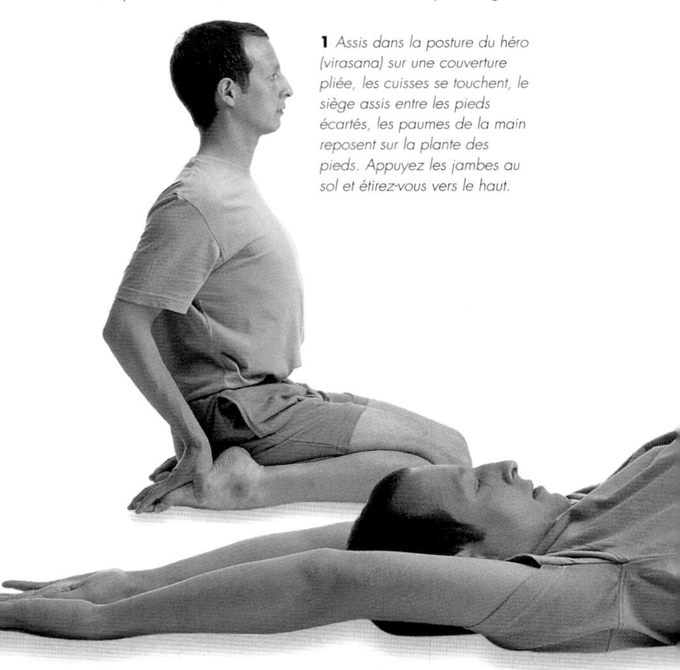

1 *Assis dans la posture du héro (virasana) sur une couverture pliée, les cuisses se touchent, le siège assis entre les pieds écartés, les paumes de la main reposent sur la plante des pieds. Appuyez les jambes au sol et étirez-vous vers le haut.*

2 *Expirez et penchez-vous en arrière jusqu'à ce que le tronc repose sur les coudes. Les mains ne lâchent pas la plante des pieds. Etirez le tronc en direction de la tête, redressez le dos en soulevant du sol les os du siège et en les étirant en direction des pieds, pour ensuite les rabaisser.*

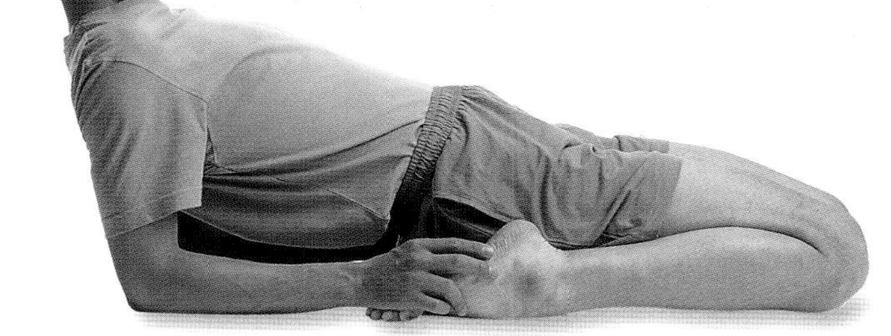

3 *Inclinez le dos jusqu'à ce que la tête repose au sol. Lâchez les pieds, étirez les bras vers le haut et posez-les au sol, paumes tournés vers le haut, derrière la tête. Tenez 20 secondes ou plus.*

Terminer et repos

Relevez les bras par dessus la tête et placez les mains sur les pieds. Soulevez le tronc en faisant levier avec les coudes, comme au point 2. Reprenez la pose du héro assise et observez un temps de repos.

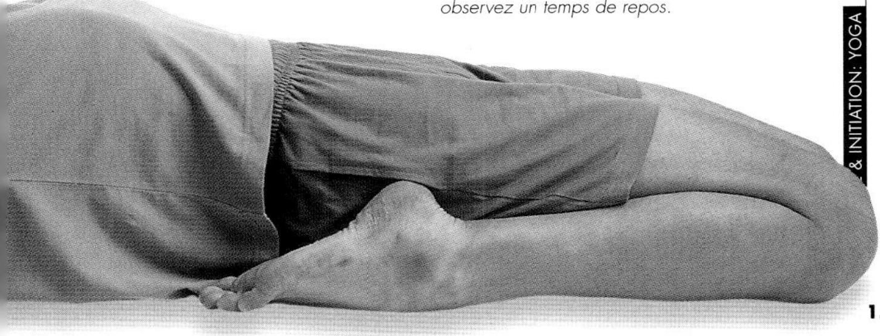

Douleurs aux jambes

Etirer quelque partie du corps que ce soit a un effet revigorant. Ne s'étire-t-on pas quand on est fatigué ? Cette pose est particulièrement efficace en cas de douleurs aux jambes car elle étire le bas du corps (cuisses, genoux, chevilles et pieds ainsi qu'abdomen et tronc) et elle repose les muscles et stimule la circulation sanguine dans toute la région.

Avant de revenir sur les coudes, étirez la colonne du bassin jusqu'au sommet du crâne, appuyez les os du siège au sol et maintenez les hanches de niveau. Soulevez légèrement le siège du sol et étirez-le en direction des genoux au point 2, cela vous épargnera des douleurs en vous allongeant. Continuez donc à vous étirer vers le haut depuis les hanches en position allongée. Les cuisses doivent se toucher mais en étirant les bras au-dessus de la tête, posez les mains au sol, à un écartement de 30 cm environ. Relâchez l'abdomen, sans le sortir ni en l'avant ni vers le haut.

Supports

Si, à genoux en virasana, vos fesses ne touchent pas le tapis au point 1,

Analyse de la pose du héro au sol

Cette figure souligne les nombreux détails à observer au point 3 de la pose du héros au sol p. 151.

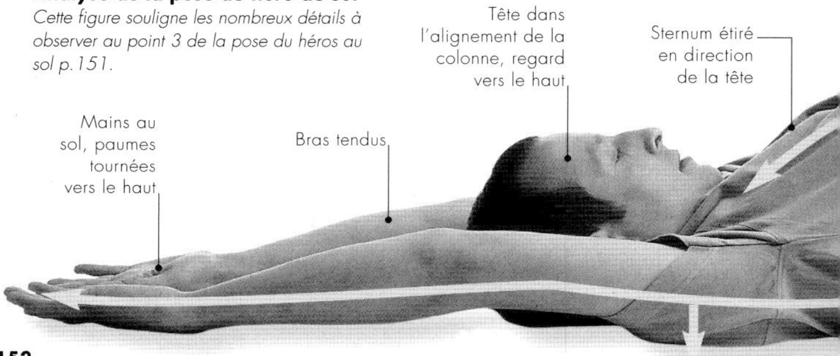

intercalez une ou deux couvertures derrière vous sur lesquelles reposera le haut du corps quand vous vous inclinerez en arrière. Si vous avez les genoux raides, agenouillez-vous sur une couverture. Si vous appréhendez de vous allonger en arrière, intercalez des coussins, de la taille aux pieds.

Nota bene :

- étirez-vous vers le haut, de l'aine jusqu'aux bouts des doigts et vers le bas, des os du siège jusqu'aux genoux
- Le haut des cuisses doit être orienté vers le haut et non pas rouler vers l'intérieur ou l'extérieur.

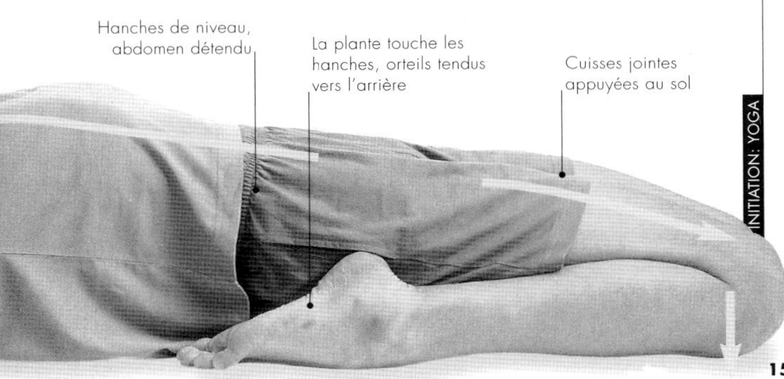

POSES AUX QUATRE MEMBRES

Le bâton aux quatre membres, **chaturanga dandasana,** est un exercice fortifiant. Dans cette version orientale de la pompe, la position est maintenue après une seule pompe. Elle contraste avec la pose éternelle, **anantasana**, posture allongée qui soulage les douleurs de dos et raffermit la région du bassin.

Pose éternelle

1 *Allongé sur le tapis du côté gauche, tendez les jambes et étirez-les en direction des pieds, le bras droit le long du côté droit, la paume posée sur la cuisse.*

2 *Placez le bras gauche dans l'alignement de la tête, le coude replié et la tête accoudée. Levez le pied et le bras droits, pliez le genou et attrapez le gros orteil.*

3 *Tendez à présent la jambe et recentrez-la dans l'alignement du tronc. Tenez pendant 20 secondes maximum.*

Répéter et terminer

Pliez le genou et baissez la jambe en lâchant le gros orteil et laissant tomber le bras au sol. Après un bref repos en supta tadasana, répétez les points 1 à 3, cette fois-ci sur le côté droit et en levant la jambe gauche.

Position du bâton aux quatre membres

1 *Allongé sur le ventre, les pieds écartés de 30 cm environ, les talons vers le haut, les coudes pliés et les paumes au sol de part et d'autre de la poitrine, écartez les doigts, rapprochez les coudes l'un de l'autre et étirez-les en direction des pieds.*

2 *Levez la tête et regardez devant vous. Inspirez, étirez les jambes dans la direction des talons et le sternum dans celle de la tête. Appuyez orteils et mains au sol, expirez et levez les cuisses et le tronc pour qu'ils soient dans l'alignement des talons. Tenez 10 secondes maximum. En expirant, reposez le tronc au sol, roulez sur le dos et reposez-vous les genoux pliés.*

Le sol: un outil

Analyse de la pose éternelle

La figure ci-dessus analyse le pt 3 de la pose éternelle p. 154. Pour vous perfectionner, vérifiez dans un miroir que vous exécutez la pose correctement.

Anantasana, posture fondamentalement reposante, est le nom sanscrit de la pose éternelle p. 154 et désigne le serpent enroulé sur lui-même, formant la couche du dieu hindou Vichnou. Faites particulièrement attention à ce que les chevilles, les jambes, le tronc et les épaules forment une ligne. Le siège doit être étiré en direction des pieds, les os de la hanche dans celle de la tête et le coccyx bien rentré. Appuyez La jambe en l'air dans l'alignement des hanches. Si vous n'arrivez pas à tendre la jambe tout en tenant l'orteil, ne la tirez pas vers l'avant. Passez plutôt une ceinture autour du pied dont vous tiendrez les deux extrémités en levant la jambe verticalement au-dessus des hanches, poussant le pied dans la ceinture. La partie supérieure du tronc ne doit pas rouler en avant. Epaules et tronc doivent former un plan vertical.

Piston

La pose du bâton aux quatre membres fortifie les poignets et les muscles des épaules, des bras et de l'abdomen. Raidissez les jambes comme un piquet. Avant de vous soulever, contractez les muscles latéraux des cuisses, rentrez le coccyx et étirez-vous des hanches au sternum. Appuyez les mains et les pieds au sol pour soulever le tronc et les jambes. Pour vous faciliter la tâche, vous pouvez caler les pieds contre un mur.

Analyse de la pose du bâton aux quatre membres

Si vous avez du mal à soulever le corps du sol au point 2 de cette pose (p. 155), observez les indications données ci-dessous. Pour vous aider à soulever, placez chacune de vos mains sur un bloc de mousse ou sur un livre épais.

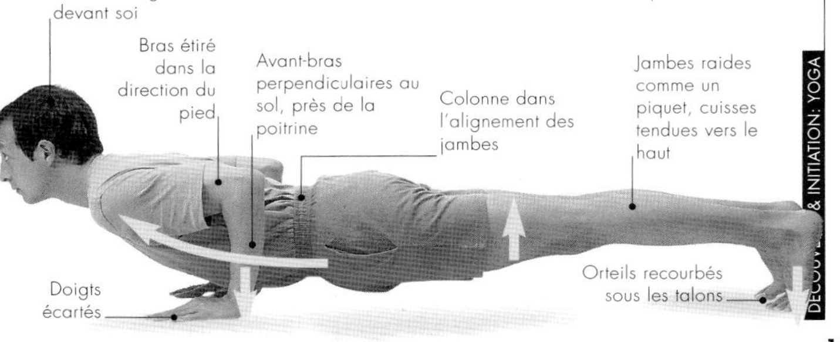

TORSION EN TAILLEUR

La pose assise en tailleur ou **sukhasana** se transforme ici en torsion : en position assise et droite, la colonne est étirée vers le haut et effectue une rotation vers la droite et vers la gauche. Cette posture qui assouplit la colonne est de surcroît confortable. Avant de procéder au exercices pp. 158 à 192, lisez attentivement les précautions à prendre p. 9.

Croiser les jambes

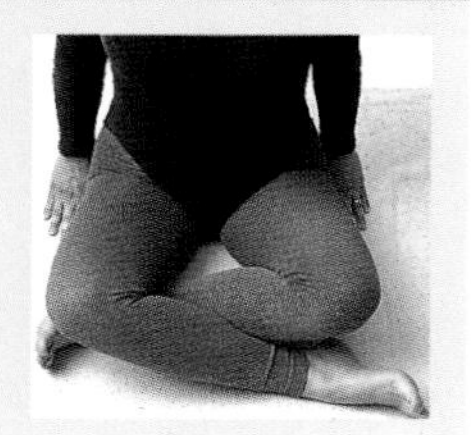

Ne serrez pas trop les jambes en les croisant : cela dérangerait l'alignement naturel de la colonne et empêcherait son bon étirement. Laissez un espace considérable entre les mollets et l'aine.

1 *Assis en position du bâton, croisez la jambe droite sur celle de gauche comme indiqué p. 38. Posez les mains sur le tapis à côté des hanches et étirez la colonne vers le haut*

Travail sur la pose

Asseyez-vous sur un bloc de mousse et posez-en également un juste derrière vous. Appuyez-vous la main dessus en tournant le dos, cela maintiendra la colonne droite. Pour accentuer la torsion, rapprochez la main le plus possible du côté opposé.

2 *Tournez le tronc vers la droite et posez la main gauche sur l'extérieur de la jambe droite et la main droite juste derrière vous. Appuyez cette main au sol et tirez la main gauche pour accentuer la rotation. Regardez par-dessus l'épaule droite et tenez cette torsion 10 à 15 secondes.*

Répéter et terminer

Reprendre la position initiale et répétez de l'autre côté. Après un bref repos, répétez la pose.

Les torsions assises

Un mouvement arrière abrupt pour attraper quelque chose est à l'origine de bon nombre de problèmes de dos. Si les muscles assurant la rotation de la colonne sont bien entraînés, il sont en mesure de répondre à un mouvement soudain, sans risquer de se froisser. Les pages suivantes sont consacrées aux torsions, qui font travailler en douceur ces nombreux petits muscles. Nous avons déjà abordé la torsion debout sur chaise (p. 74). Les trois torsions de ce chapitre se font assises.

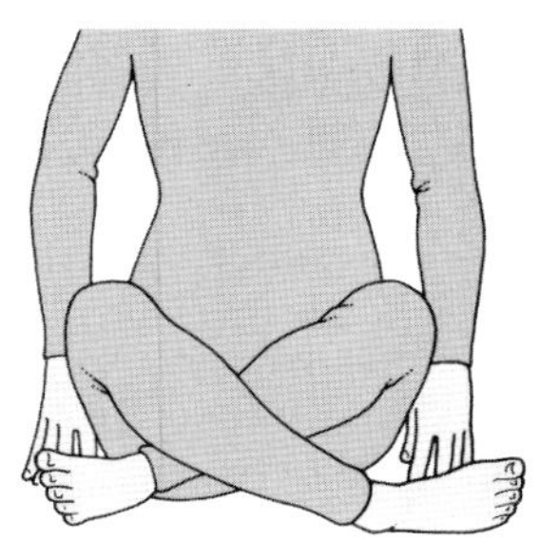

Position des genoux
En croisant les jambes, les genoux doivent être près du sol. Si vous avez du mal à les abaisser, croisez-les au niveau des tibias puis rapprochez-les avant de les appuyer vers le sol.

Aider la rotation de la colonne

Une torsion ne sera efficace que si le dos est droit pendant la rotation. S'asseoir sur un bloc de mousse ou une couverture pliée 2 ou 3 fois vous aidera à redresser le dos. Une fois assis, amenez le gros muscle des fessiers sur les côtés. Le tronc de face et les jambes appuyées au sol, étirez ensuite la colonne vers le haut. Aidez-vous des mains pour tourner. La main arrière vous maintient droit, celle de devant tire sur le genou pour accentuer la torsion. Ne laissez jamais la colonne s'affaisser, étirez-la vers le haut, même en vous retournant vers l'avant.

Nota Bene

- Soulevez et ouvrez le haut du buste en appuyant les épaules vers le bas et l'arrière.
- En tournant, les épaules doivent être de niveau, de sorte que la poitrine ne soit pas soulevée plus d'un côté que de l'autre.

Analyse de la torsion en tailleur

Allez chaque fois un peu plus loin dans la torsion de la colonne (pp. 158–159) en observant les indications les plus importantes résumées ci-contre.

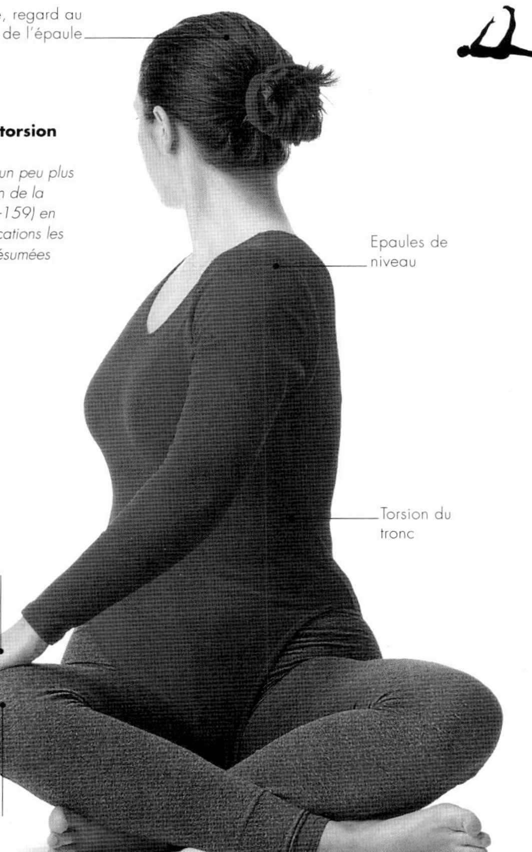

SIRÈNE I

Dans cette position, les jambes repliées sur le côté rappellent la queue d'une sirène. Son nom sanscrit toutefois, Bharadvajasana, commémore le guerrier Bharadvaja, figure mythique de l'épopée hindou *Mahabharata*. Cette pose, **Bharadvajasana I**, opère une rotation de la colonne en faisant surtout travailler ses parties médiane et supérieure. Elle élimine les raideurs et procure une sensation de souplesse.

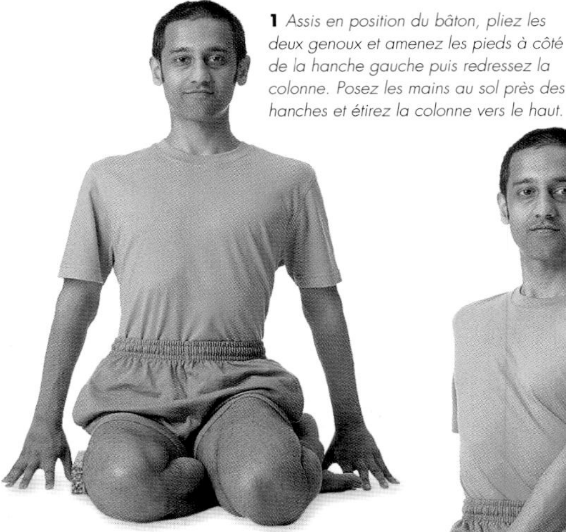

1 *Assis en position du bâton, pliez les deux genoux et amenez les pieds à côté de la hanche gauche puis redressez la colonne. Posez les mains au sol près des hanches et étirez la colonne vers le haut.*

2 *En expirant, tournez le tronc vers la droite depuis les hanches. Posez la main gauche sur la cuisse droite et tirez doucement pour tourner vers la droite. Appuyez la main droite au sol derrière vous pour vous surélever et accentuer la rotation.*

3 *En expirant, passez le bras droit par derrière et fermez la main autour du haut du bras gauche; Posez le dos de la main gauche sur l'extérieur de la cuisse droite, près du genou. Tournez la tête pour regarder au-dessus de l'épaule gauche. Tenez la torsion 10 à 15 secondes en respirant normalement.*

Répéter et terminer

Tournez vous pour être de face et allongez les jambes pour reprendre la pose du bâton. Répétez les points 1 à 3 de l'autre côté.

Travail sur la pose

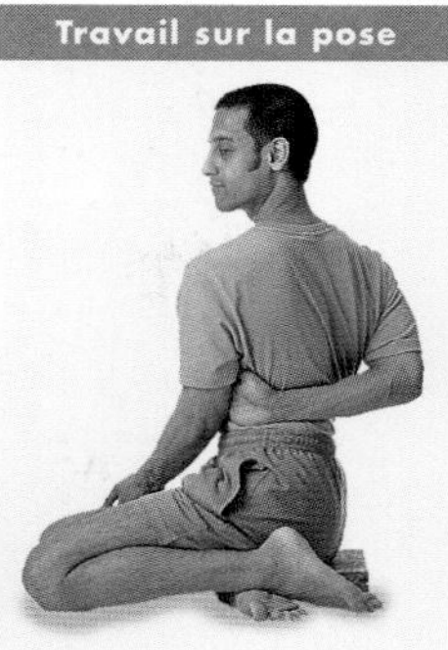

Lorsque vous amenez les pieds autour de la hanche au point 1, la cheville gauche repose sur la voûte du pied droit. Dans la torsion sur la gauche, la cheville droite repose sur la voûte du pied gauche.

Spirales

Pour être efficaces, les torsions doivent être exécutées avec plus de douceur et de précision que tout autre mouvement de yoga. La rotation ne doit pas être exagérément forcée et elle doit être indolore. La torsion s'effectue dans le haut du dos, la région thoracique de la colonne (cf. p. 26–27). Les articulations séparant les 12 vertèbres thoraciques, les ligaments qui les joignent et les muscles qui permettent de les faire bouger répondent à l'étirement et à l'exercice. Si vous pratiquez cette torsion avec douceur et assiduité, vous irez un peu plus loin chaque fois.

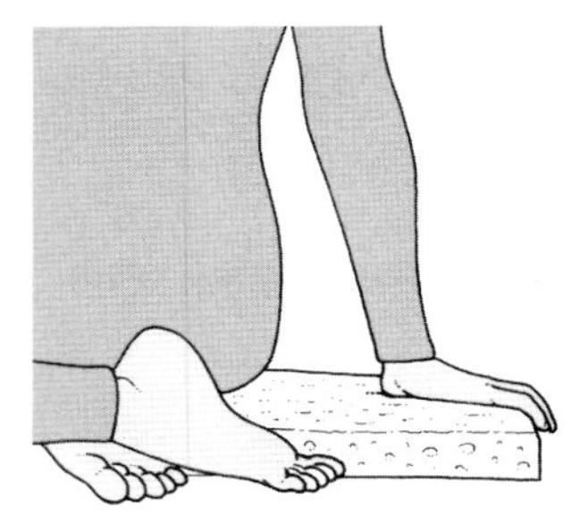

Travail sur la pose
Appuyez la main au sol sur un bloc de mousse ou une couverture pliée 2 ou 3 fois placée derrière vous. Le tronc fera alors levier, ce qui accentuera la rotation.

Un mouvement de spirale

Dès le point 1, chaque geste de la pose de la sirène fait effectuer à la colonne un mouvement de spirale. En position du bâton, soulevez le tronc entier depuis les hanches. Une surface surélevée, facilitant la rotation du tronc depuis les hanches, renforcera l'étirement vers le haut. Commencez la rotation par une expiration et maintenez la tension en étirant le siège vers le bas, une main solidement ancrée au sol, l'autre posée contre la cuisse pour accentuer la rotation du corps. Passer un bras derrière le dos pour saisir l'autre bras et tourner la tête pour regarder par dessus l'épaule contribuera aussi à ce mouvement de spirale. Maintenez la pose quelques secondes sans lâcher l'étirement. Cela familiarisera le tronc à cette rotation et rendra la pose plus facile la fois suivante.

Nota bene

- L'équilibre des hanches ne doit pas être troublé par le mouvement des pieds ou par la rotation. Appuyez les deux os du siège au sol et maintenez les os des hanches de niveau. Si vous avez du mal, surélevez le bassin avec deux couvertures pilées .
- Les épaules doivent être au même niveau. La rotation ne doit pas en relever une par rapport à l'autre.

Analyse de la sirène 1

Pour exécuter correctement le point 3 de la pose de la sirène p. 163, suivez les indications données à la figure ci-contre.

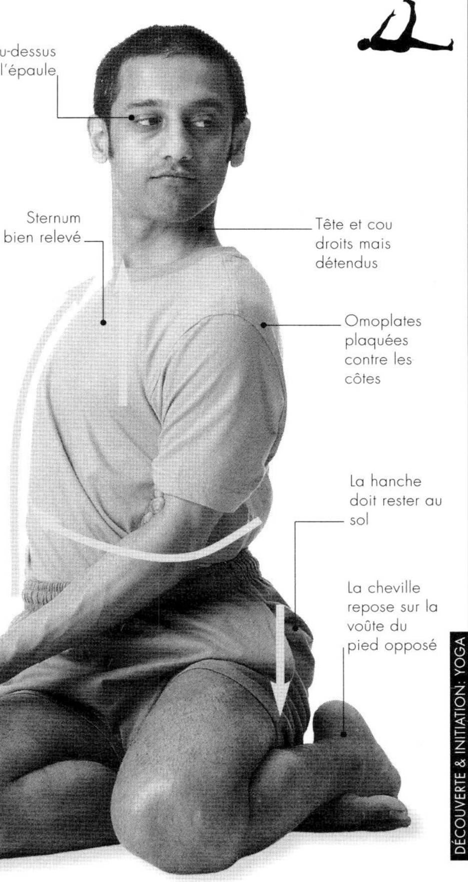

POSES DU SAGE

Ces deux torsions, de même que la torsion debout avec chaise de la p. 74, sont dédiées à un sage mythique du panthéon hindou, Marichi, grand-père du dieu du soleil. Les versions des deux poses du sage ici présentées conviennent aux débutants. Elles fortifient les muscles de l'abdomen et assouplissent ceux du dos.

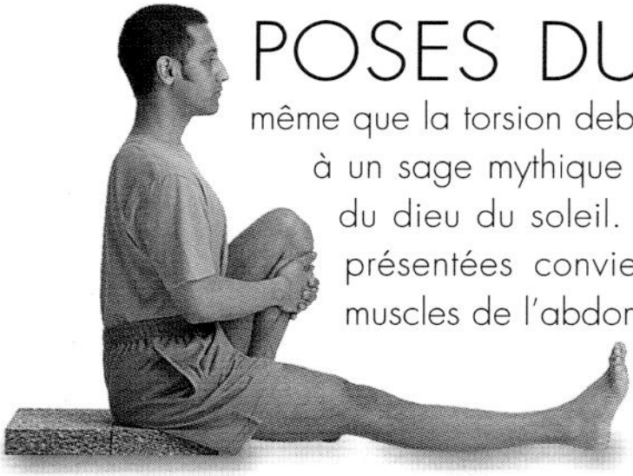

Marichyasana I

1 *Assis en position du bâton sur un bloc de mousse ou une couverture pliée , pliez le genou gauche en rapprochant le talon de la fesse gauche. Prenez le tibia des deux mains et tirez le tronc en avant contre la cuisse.*

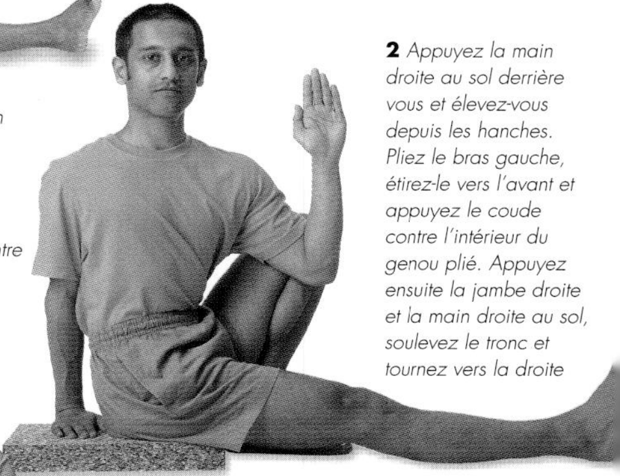

2 *Appuyez la main droite au sol derrière vous et élevez-vous depuis les hanches. Pliez le bras gauche, étirez-le vers l'avant et appuyez le coude contre l'intérieur du genou plié. Appuyez ensuite la jambe droite et la main droite au sol, soulevez le tronc et tournez vers la droite*

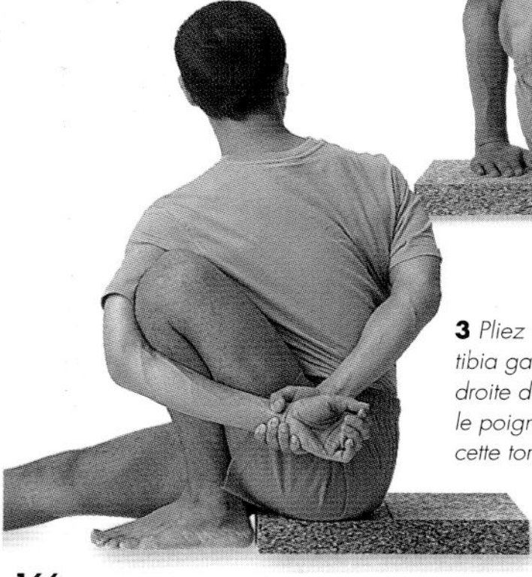

3 *Pliez le bras gauche autour du tibia gauche, passez la main droite dans le dos pour attraper le poignet gauche et maintenez cette torsion sur la droite 15 secondes maximum.*

Répéter et terminer

Reprenez la position du bâton et répétez les points 1 et 2 en pliant la jambe droite, en appuyant le coude droit contre le genou droit et en vous tournant sur la gauche

Marichyasana III

1 *Assis en position du bâton, pliez le genou droit, rapprochez le talon de la fesse, refermez les mains autour du genou plié et tirez le tronc vers le genou. Appuyez la jambe gauche au sol et rehaussez-vous depuis les hanches. Tout en étirant la colonne vers l'avant et le haut, tirez sur le tibia.*

2 *Appuyez la main droite au sol derrière vous pour seconder l'étirement. La rotation doit partir des hanches. Faites tourner le tronc vers la droite. Appuyez le coude gauche contre l'extérieur du genou en faisant levier avec le genou pour accentuer la rotation vers la droite*

3 *Pliez le bras gauche autour du tibia droit, passez la main droite dans le dos pour saisir le poignet gauche. Tenez la pose 15 secondes.*

Répéter et terminer

En pose du bâton, répétez les points 1 à 3 en pliant la jambe gauche, appuyez le coude droit contre l'extérieur du genou gauche, effectuant la torsion sur la gauche.

Rotation renforcée

Dans ces deux poses, le coude fait office d'un levier puissant pour accentuer la rotation exercée sur la colonne depuis les hanches. Elles étirent le tronc avec intensité, ce qui stimule l'irrigation des reins. Avant la rotation de la colonne, il est indispensable d'étirer intensément le tronc vers le haut et de le sortir vers l'avant pour qu'il reste perpendiculaire au sol. Pour ce faire, saisir des mains le tibia de la jambe pliée, juste au-dessous du genou, et tirez-le pour rapprocher le tronc de la cuisse repliée.

Appuyez la jambe allongée au sol pour maintenir la colonne étirée et appuyez une main au sol ou sur un bloc de mousse ou un livre épais posé derrière vous.

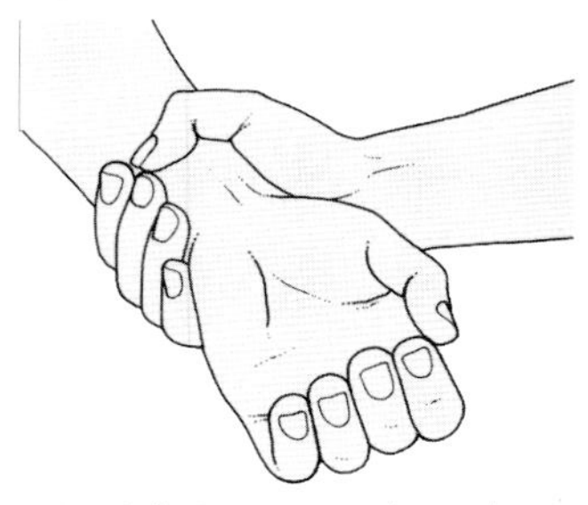

Au pt 3 des 2 poses, passez la main dans le dos pour serrer le poignet du bras opposé entre le pouce et les doigts

L'effet levier

Le coude, placé contre le genou replié, peut servir de levier pour faire tourner le tronc au point 2 des deux torsions. Pour que l'effet de levier soit efficace, le genou doit être vertical et le tronc de face. Il ne doit pas y avoir de trou entre l'aisselle et le haut de la cuisse où le coude repose. Inspirez avant de plaquer le coude contre le genou. En expirant, étirez le tronc en avant et vers le haut et appuyez le coude contre le genou et vice-versa afin d'intensifier la rotation.

Tout le tronc doit participer à cette rotation : l'abdomen, la taille, le buste et la tête doivent suivre le mouvement.

Nota bene

- Etirez le tronc depuis le bas du dos. Ne laissez pas la colonne retomber ou les fesses partir en arrière.
- Les deux os du siège doivent être appuyés au sol pour que les hanches restent de niveau.
- Tournez le tronc le plus possible sans toutefois vous faire mal.

Analyse des torsions de Marichyasana

Le diagramme ci-contre représente la vue de face du point 3 de Marichyasana III, p. 167 Les indications données s'appliquent cependant aux deux torsions. Si vous avez du mal à faire se joindre les 2 mains dans votre dos, travaillez le point 2 jusqu'à ce que les articulations de la hanche et la colonne se soient assouplies.

Tête droite, regard au-dessus de l'épaule

Bas du dos droit

Buste relevé

Genou appuyé sous l'aisselle

Pied ancré sur le tapis

Jambe allongée et appuyée au sol

LE PONT

Le nom de cette pose, **sarvangasana setu bandha**, décrit la forme du corps quand on soulève le dos, tandis que les épaules et les pieds font office de piliers, et qui rappelle un pont. Ce mouvement, qui donne au dos un étirement salutaire, est particulièrement indiqué après le poirier.

1 *Allongé sur le dos, les pieds écartés d'une largeur de hanches et les bras le long du corps, pliez les genoux, rapprochez les talons de l'aine et étirez le siège en direction des talons.*

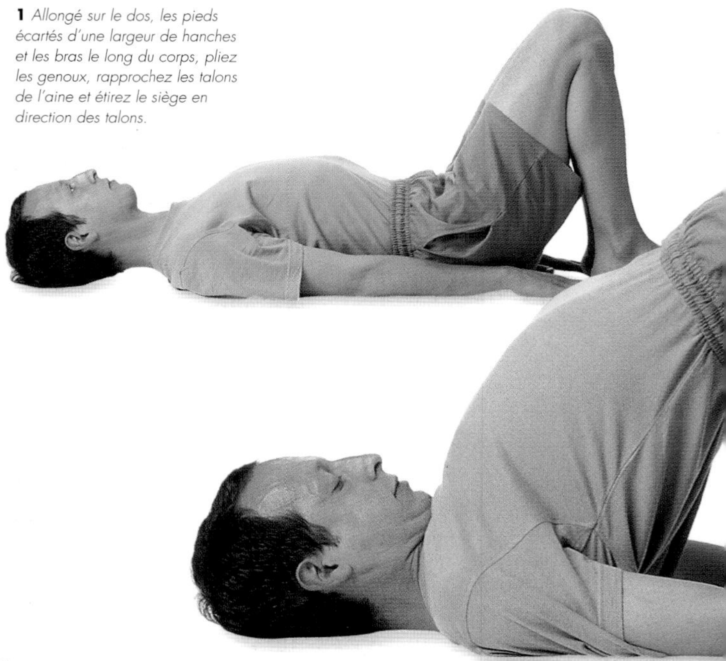

Travail sur la pose

Pour intensifier l'étirement de la colonne et ouvrir la cage thoracique, soulevez les hanches en montant sur les métatarses des pieds. Reposez les talons au sol pour ensuite tenir la position.

2 *Etirez les bras en direction des pieds et appuyez les bras et les pieds au sol. Expirez et soulevez les hanches, le buste et les cuisses. Tenez l'étirement 20 secondes maximum.*

Terminer et repos

En expirant, reposez le tronc et les hanches sur le tapis en étirant le siège en direction des pieds. Reposez-vous les jambes repliées.

Etirement du dos

Pour conserver toute sa mobilité, la colonne doit être courbée en arrière autant que vers l'avant et sur les côtés. Cette partie du chapitre 4 présente les étirements en arrière effectuées en position allongée ou agenouillée. Le pont, premier de la série, demande de soulever énergiquement le dos du sol. Commencez en supta tadasana (cf. p. 39), pliez les jambes avant de soulever et étirez le siège au sol en direction des pieds.

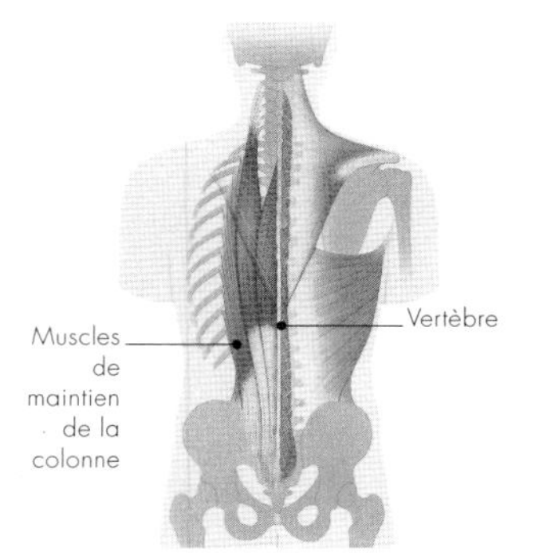

Les muscles de commande de la colonne

L'action combinée de nombreux petits muscles, attachés à une au deux vertèbres, permet la torsion avant, arrière et latérale de la colonne ainsi que sa rotation. Leur nom, latin erector spinae, indique qu'ils assurent aussi son maintien.

Faire un pont

Pour soulever, appuyez les bras au sol et soulevez les hanches avec les grands fessiers et les muscles des cuisses ainsi que les nombreux muscles qui commandent la colonne. Pendant la levée, appuyez les pieds sur le tapis et étirez-vous vers le haut depuis l'arrière des cuisses. Pour que la courbe soit plus prononcée, soulevez les talons, rehaussez les hanches puis reposez les talons sans rabaisser les hanches.

Il se peut qu'au début vous n'arriviez à soulever le dos qu'à peine et à ne

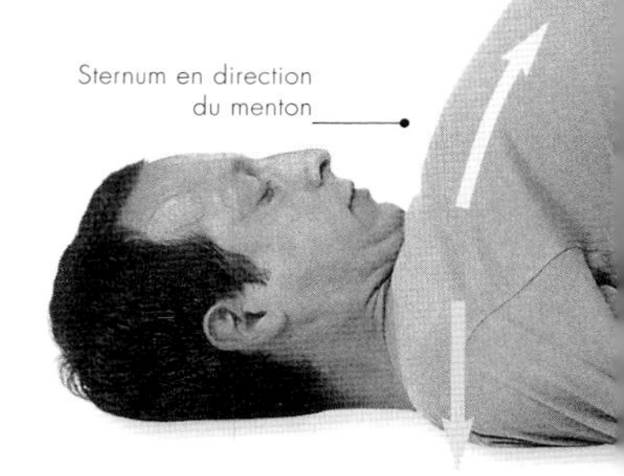

tenir en l'air que quelques secondes. Une pratique assidue renforcera les muscles et assouplira le dos. Vous pourrez ensuite vous lancer dans une version plus avancée de la pose, salamba sarvangasana p. 186-187, dans laquelle depuis le poirier, on abaisse les jambes et les pieds pour former un pont.

Nota bene

- Pour intensifier l'étirement, sortez le sternum en direction de la tête et relevez les épaules en plaquant les omoplates contre les côtes.
- Maintenez soulevés le buste, les hanches, le coccyx et les cuisses pendant toute la pose.
- Détendez le cou et le menton.

Analyse de la pose du pont
Pour accentuer le soulèvement, suivez les instructions ci-contre.

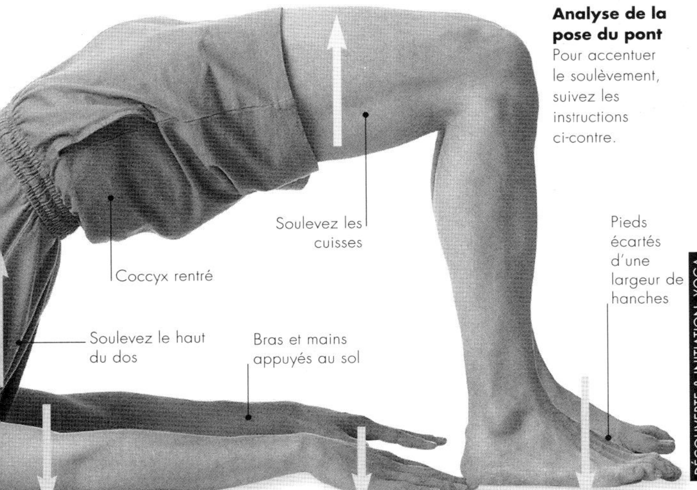

LA SAUTERELLE

Le nom de cette pose décrit la forme du corps qui rappelle une sauterelle au repos. La pose de la sauterelle ou **salabhasana** est recommandée comme exercice tout en douceur pour fortifier les muscles qui entourent toute partie de la colonne où un disque a glissé. Elle soulage aussi le mal de dos. Elle est plus efficace que les pompes pour faire travailler les grands abdominaux, les fessiers et les muscles des cuisses.

1 *Assis sur le ventre le menton sur le tapis, regardez le sol, les bras le long du corps, les jambes jointes et étirées vers l'arrière et les paumes tournées vers le haut.*

2 *Appuyez le bassin au sol, inspirez et en étirant les bras et les mains en direction des talons, soulevez le plus possible du sol la tête, le haut du corps et les jambes. Etirez les bras et les jambes vers l'arrière à la hauteur des épaules.*

Jambes et pieds

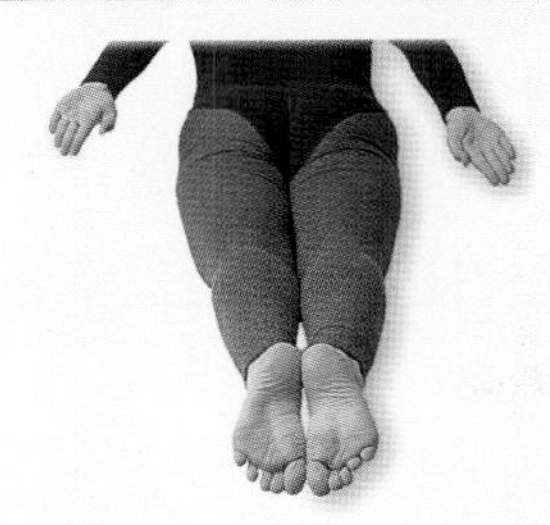

Gardez les jambes et les pieds joints et les tibias vers le bas. Les jambes ne doivent pas rouler vers l'extérieur. Etirez les jambes et les pieds dans la direction opposée à la tête. Si l'étirement des pieds en arrière vous donne des crampes, arrêtez et reprenez la pose une fois les crampes passées. Elles sont dues à un manque d'exercice et un entraînement assidu devrait donc en venir à bout.

Terminer et repos

Tenez la pose 10 à 20 secondes en respirant normalement et en regardant vers l'avant. Reposez ensuite la tête, les épaules, les bras et les jambes sur le tapis et reposez-vous.

Courber le dos

Du cou jusqu'au bassin, chacune des paires de vertèbres dont est composée la colonne est séparée par une articulation, mobile dans une infime mesure. Ce sont ces articulations partiellement mobiles qui, ensemble, confèrent à la colonne sa merveilleuse mobilité. Pour ne rien perdre de cette mobilité, la colonne doit régulièrement être exercée. Au cours d'une journée normale, on se penche en avant pour ramasser quelque chose, on se tourne, on peut s'incliner d'un côté ou de l'autre, mais il est rare que l'on courbe la colonne en arrière.

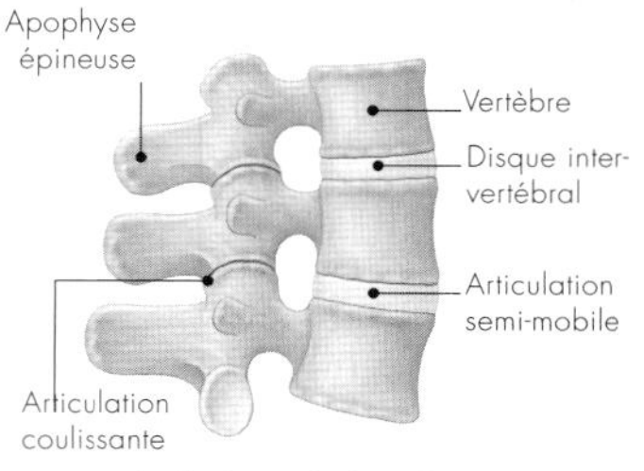

Articulations de la colonne

Les articulations qui séparent les vertèbres sont amorties par des disques de cartilage, ce qui permet un mouvement vers l'arrière, l'avant et les côtés. Lorsque les vertèbres bougent, leur apophyses épineuses coulissent les unes sur les autres.

Créer la cambrure

Dans la pose de la sauterelle, vous êtes allongé sur le ventre, le dos courbé, les jambes, les cuisses, le buste et les épaules soulevés du tapis de sorte que vous êtes en équilibre sur le bas de l'abdomen et les os des hanches.

Cambrer la colonne redonne sa souplesse en particulier au bas du dos, soulageant les douleurs dans cette

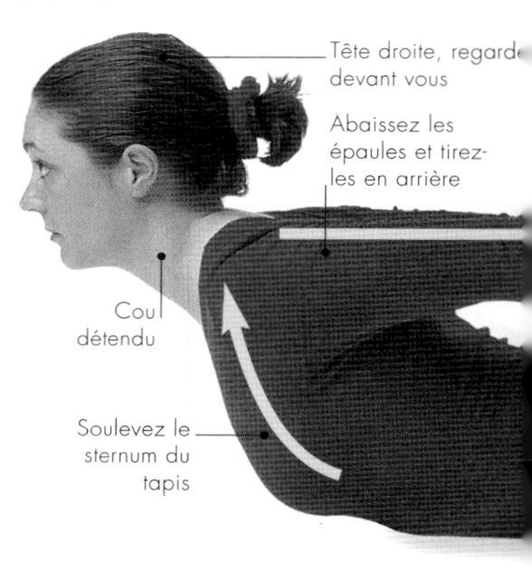

région du dos très sollicitée. Renforcer les muscles qui commandent la colonne prévoit les glissements de disque. La cambrure est également un stimulant pour le système digestif, soulageant les indigestions et les maux de ventre. L'étirement intensif en arrière des bras et des jambes et vers l'avant du tronc renforce les abdominaux qui assurent le soulèvement de l'avant du corps. Plus ces muscles seront forts, plus la pose sera facile.

Nota bene

- Inspirez quand vous relevez le buste et les jambes et pensez à respirer normalement en tenant la pose.
- En soulevant les jambes et les bras, étirez-les vraiment en arrière, dans la direction opposée à la tête, et tenez cet étirement pendant toute la pose
- Relevez le sternum le plus haut possible tout en plaquant les omoplates.

Analyse de la pose de la sauterelle

Les indications suivantes vous aideront à effectuer le soulèvement au point 2 de la sauterelle, p. 175.

Etirez les bras et les mains en arrière, les paumes tournées vers le haut

Etirez les jambes et les pieds dans la direction opposée à la tête

Appuyez l'avant du bassin au sol

Joignez les jambes et soulevez-les du tapis

LE CHAMEAU

Ustrasana ou le chameau intensifie l'étirement en arrière de la colonne. Elle n'est pas trop ardue, même pour les dos raides. Elle est excellente pour corriger les postures affaissées (épaules et dos arrondis) engendrées par des positions assises trop prolongées.

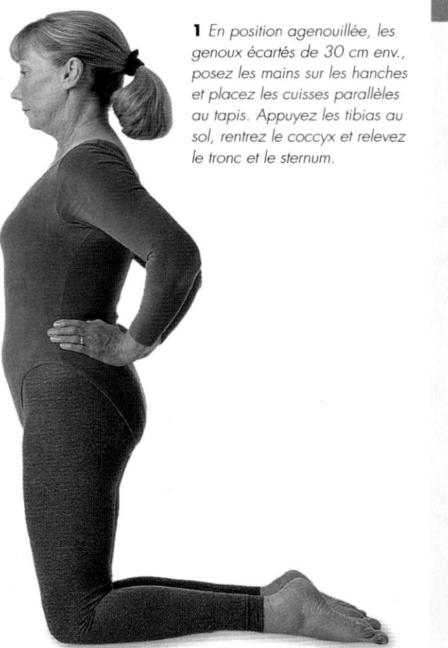

1 *En position agenouillée, les genoux écartés de 30 cm env., posez les mains sur les hanches et placez les cuisses parallèles au tapis. Appuyez les tibias au sol, rentrez le coccyx et relevez le tronc et le sternum.*

Derrière le dos

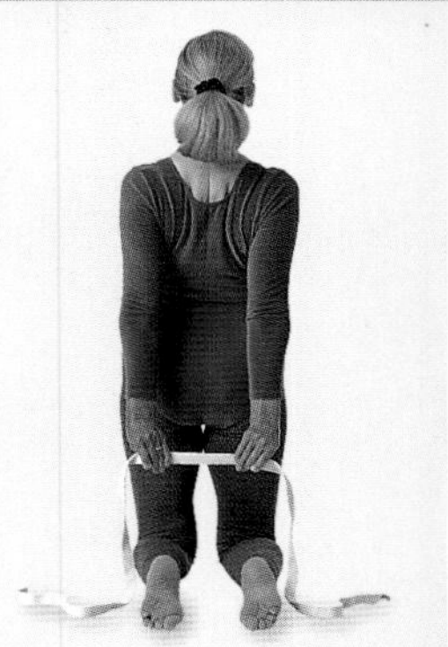

Si vous avez du mal à guider les mains vers les pieds derrière vous, tenez une ceinture entre le doigt et le pouce de chaque main en laissant 30 cm entre eux. Les mains ont donc le même écartement que les talons, les paumes tournées vers l'avant. La ceinture aidera les mains à descendre jusqu'à vos pieds.

2 *Expirez, inclinez la tête en arrière, amenez les bras derrière le dos et posez les paumes sur les pieds, les doigts vers le bas. Elevez-vous depuis les cuisses en étirant le sternum vers le haut. Tenez l'étirement 15 secondes maximum.*

Terminer et repos

Inspirez, remontez les mains et relevez la tête et le tronc jusqu'à ce que vous soyez en position agenouillée relevée. Assis sur les talons, les mains sur les cuisses, détendez-vous.

Fin de la pose

Au point 2, dressez et étirez le tronc, la tête rejetée en arrière. Si vous affaissez la poitrine et retombez sur les talons, vous risquez de vous faire mal au cou et au dos. Sortez de la pose en effectuant les mouvements dans l'ordre inverse plutôt que de vous arrêter en milieu de pose. La colonne doit rester étirée vers le haut.

Etirement du tronc

Bien plus qu'une inclinaison arrière, la posture du chameau est un étirement de tout le tronc, des cuisses jusqu'au cou. Au point 1, appuyez les jambes au sol, rentrez le coccyx et étirez le siège vers le sol. Tendez les cuisses et tirez le tronc vers le haut depuis l'aine et les hanches jusqu'au sternum. En redescendant les mains vers les talons, étirez les épaules en arrière de sorte que les omoplates soient plaquées contre les côtes et que l'étirement se poursuive le long des bras jusqu'aux mains. Ne penchez pas le tronc d'un côté, pour que les deux mains touchent les pieds en même temps.

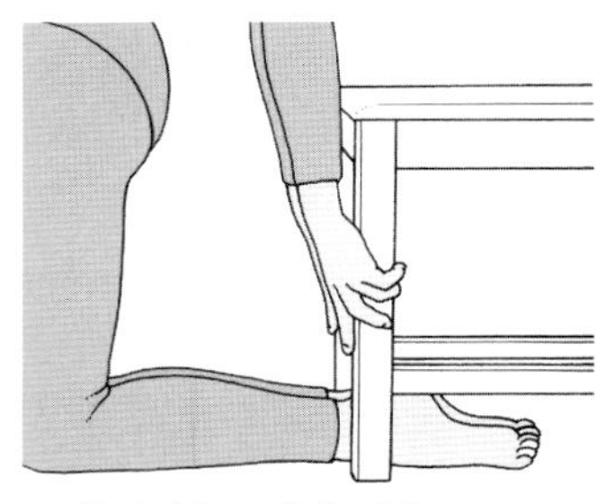

Venir à bout de la résistance
Pour vous habituer à incliner le tronc en arrière, placez une chaise derrière vous, le dossier contre un mur, et inclinez-vous en arrière en tenant des mains les pieds de la chaise.

Inclinaison en arrière

Certains trouvent difficile d'incliner la tête et le tronc en arrière. Peut-être préférerez-vous tout d'abord garder la tête droite jusqu'à ce que vous soyez assez familiarisés avec la pose pour essayer d'aller plus loin en arrière au fil des sessions. Vous pouvez aussi placer une pile de livres à côté des chevilles jusqu'à ce que vous soyez prêt à vous étirer complètement et à tenir les pieds. Les articulations gagnant en souplesse, vous arriverez à vous incliner assez pour voir le mur derrière votre tête.

Dans les inclinaisons en arrière, tout l'avant du corps est étiré sur le cadre fourni par la colonne et la cage thoracique. Maintenir les cuisses et le tronc étirés vers le haut, le sternum bien relevé et les épaules abaissées, vous permettra d'accentuer l'inclinaison de la colonne.

Nota bene

- Appuyez les tibias et les chevilles dans le tapis et soulevez le corps depuis les genoux pendant toute la pose
- Fermez la bouche quand vous inclinerez la tête en arrière et respirez normalement pendant la pose
- Ne laissez pas les hanches retomber sur les talons, rentrez bien le coccyx.
- Attention : Si cette pose du niveau 3 vous demande un trop grand effort ou si vous ressentez une douleur, revenez en arrière et reposez-vous.

Analyse de la pose du chameau

Les indications suivantes vous aideront à vous étirer à fond au point 2 de la pose du chameau p. 179.

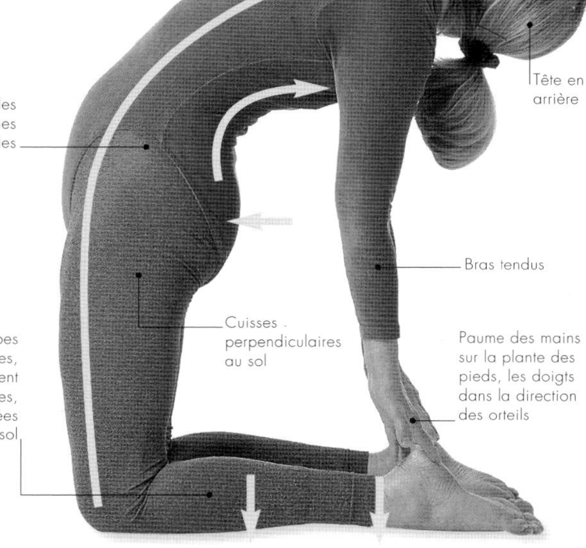

L'ARC

Dans la posture de l'arc ou **dhanurasana**, qui s'effectue au sol, le corps entier est étiré en arrière, les chevilles tenues dans les mains. Le corps a la forme d'un arc, les bras en étant la corde. C'est un étirement extrême, une pose difficile mais qui, avec de l'entraînement, redonnera à la colonne son élasticité.

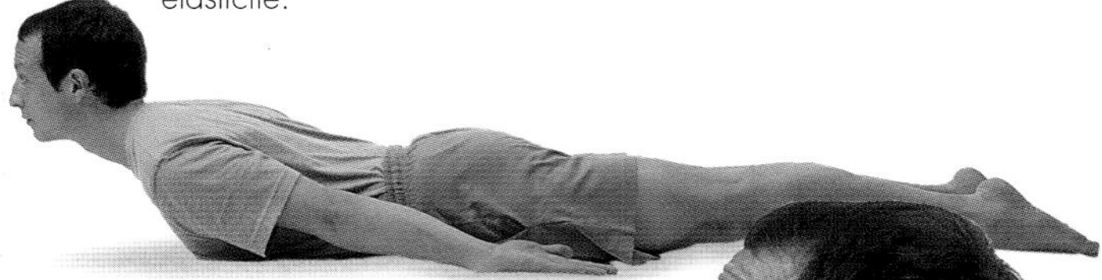

1 *Allongé sur le ventre sur un tapis, les jambes légèrement écartées et les bras le long du corps, soulevez un peu les jambes et étirez-les en arrière.*

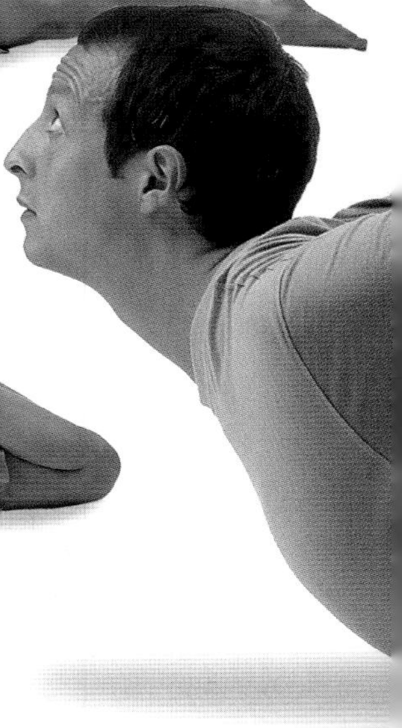

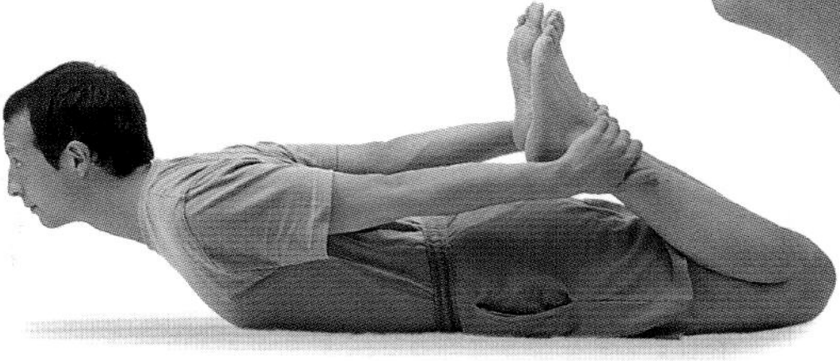

2 *Pliez les genoux tout en étirant les cuisses vers l'arrière et rentrez le coccyx. Soulevez les deux bras et attrapez les chevilles. En expirant, tirez sur les chevilles et soulevez les cuisses et le buste du tapis.*

3 *Soulevez la tête un peu plus haut en regardant devant vous puis les tibias, en respirant normalement et sans effort trop important, pendant dix secondes maximum.*

Terminer et repos

Expirez, lâchez les chevilles, posez les jambes et le tronc sur le tapis et reposez-vous.

Un étirement extrême

La posture de l'arc des pp. 182–183 est un étirement extrême du tronc et de la colonne. Elle étire l'avant du corps et courbe le dos au maximum. Comme dans la pose du chameau pp. 178–181, rentrez le coccyx et appuyez le bassin au sol, cela vous donnera l'énergie nécessaire pour soulever les jambes du tapis. Etirez-les vers le haut pour les maintenir en position. Pendant la pose, cette technique d'appui vous permettra d'accentuer la cambrure et l'étirement, des hanches au sternum. Tirez sur les chevilles pour soulever plus haut le tronc et les cuisses.

Réussir le soulèvement

Si vous avez du mal à attraper vos chevilles, entraînez-vous à exécuter la pose sans soulever les jambes du tapis. Pour commencer, contentez-vous d'étirer les bras en arrière en direction des chevilles puis relevez peu à peu la tête du tapis, puis le buste. Entraînez-vous ensuite à soulever les jambes en même temps. Cette préparation améliorera l'étirement du tronc et des jambes et assouplira la colonne. Une fois que vous aurez plus de liberté de mouvement, vous pourrez essayer de tenir les chevilles et d'intensifier le soulèvement.

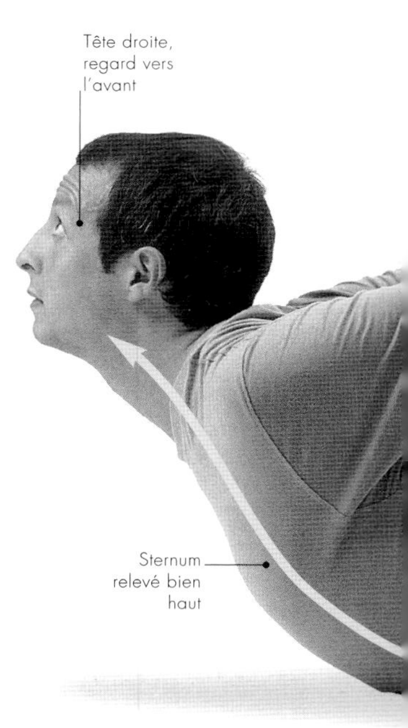

Pieds légèrement écartés et dirigés vers le haut

Analyse de l'arc

Les indications suivantes vous aideront à exécuter l'étirement en arrière au pt. 3 de la posture de l'arc p. 183.

Nota bene

- Ne retenez pas votre respiration en soulevant tronc et jambes pendant cette pose. Expirez en pliant les genoux, soulevez puis respirez normalement en tenant la pose.
- Soulevez les cuisses et le haut du corps sans que l'effort fourni par le dos soit trop important.
- Le cou doit être détendu et les épaules en arrière.

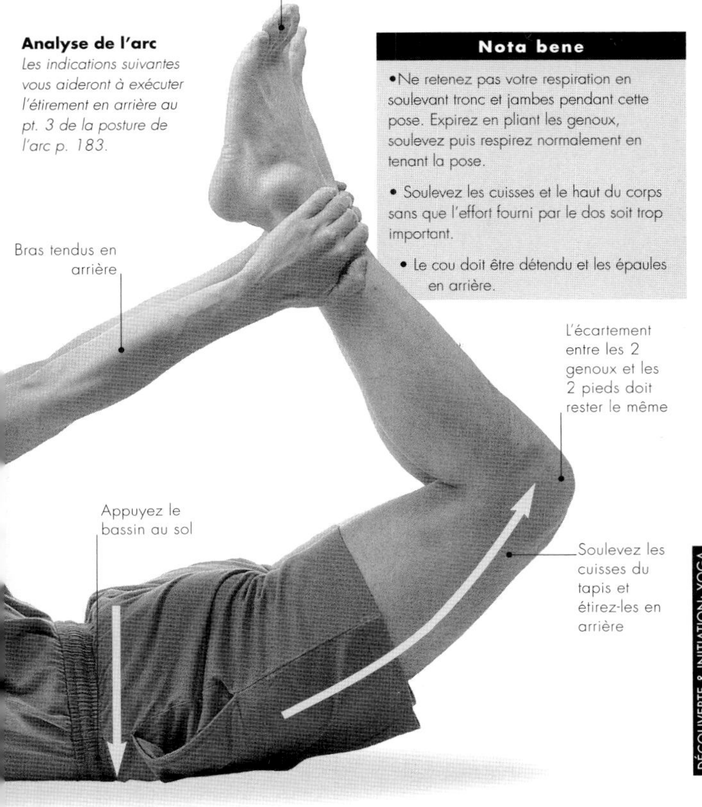

Bras tendus en arrière

L'écartement entre les 2 genoux et les 2 pieds doit rester le même

Appuyez le bassin au sol

Soulevez les cuisses du tapis et étirez-les en arrière

DEMI-POIRIER ET CHARRUE

La posture du corps entier soutenu, **salamba sarvangasana**, et la charrue ou **halasana,** qui peuvent être exécutés séparément, sont ici présentés comme une suite de mouvements. Avant de commencer, placez une chaise de sorte que, allongé sur le tapis, son dossier soit éloigné de vous de la longueur d'un bras derrière la tête.

1 *Allongé en supta tadasana (cf. p. 39), appuyez les épaules et le haut des bras au sol en soulevant le sternum. Pliez les genoux et rapprochez les talons des fesses.*

2 *Inspirez, appuyez les bras au sol et soulevez les jambes et les hanches en ramenant les genoux pliés par dessus la tête. Pliez les coudes et posez les mains de part et d'autre de la colonne pour soutenir le haut du dos.*

3 *Posez les pieds sur la chaise placée derrière la tête, en posture de la charrue. Tendez les jambes et avancez les hanches pour que le poids repose au-dessus des épaules. Sans écarter les coudes, tenez la pose dix secondes env.*

4 *Pliez les genoux et étirez-les vers le plafond tout en gardant les jambes jointes, tendez-les doucement jusqu'à ce que les pieds soient au-dessus des épaules et que vous soyez en position dite du demi-poirier ou corps entier soutenu. Tenez la pose 5 minutes maximum.*

5 *Pliez les genoux, descendez-les en direction de la tête, posez les pieds sur la chaise puis tendez les jambes. Relâchez les mains, entrelacez les doigts et étirez les bras au sol derrière le dos. Pliez maintenant les coudes et posez les mains de part et d'autre de la colonne, pliez les genoux, orientez-les vers le haut et tendez les jambes pour reprendre la position du poirier. Tenez une minute.*

Terminer et repos

Les jambes jointes, expirez, pliez les genoux et descendez-les en direction de la tête. Etirez les bras au sol derrière le dos. Vous les appuierez par terre pour garder l'équilibre en abaissant les hanches au sol. Reposez-vous les jambes pliées.

Introduction aux poses renversées

En raison de leur bienfaits pour la santé, les poses renversées sont très importantes en yoga. Elles sont énergisantes car elles stimulent la circulation du sang et de la lymphe.

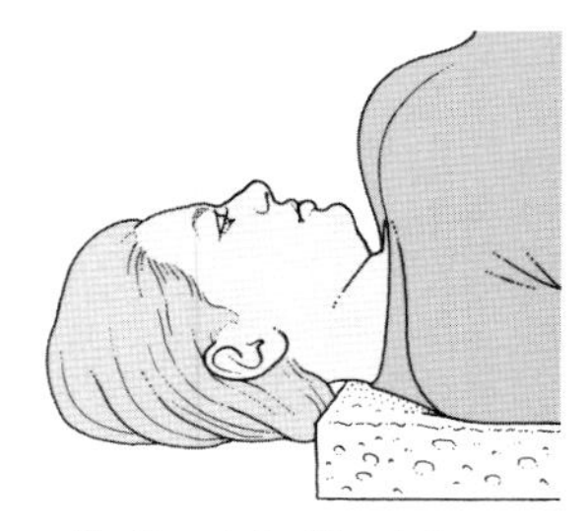

Soutien de la tête et du cou
Commencez les deux poses allongé sur le dos, le haut du corps relevé sur 2 ou 3 couvertures pliées ou sur 4 blocs de mousse. pour soutenir le cou.

Equilibre et contrôle

Dans ces poses, l'exactitude du positionnement est important. La tête doit être droite et perpendiculaire aux épaules. Etirez les bras en direction des pieds et appuyez épaules et bras au sol, cela relèvera le sternum et vous aidera à garder l'équilibre et le contrôle. Dans la posture de la charrue, entrelacez les doigts et étirez les bras au sol pour que, le haut des bras rapprochés et parallèles, vous ayez un meilleur contrôle de vos mouvements.

Les jambes restant jointes, quand vous levez le corps pour faire le poirier, étirez les cuisses pour que chevilles, hanches et épaules soient sur un même plan. En abaissant les jambes pour prendre la posture de la charrue, éloignez les hanches de la tête. Lorsque les pieds touchent la chaise, redressez les genoux pliés puis avancez les hanches vers la tête pour qu'elles soient au-dessus des épaules, rentrez les orteils sous la plante et étirez les cuisses.

Posez les pieds sur une chaise aide à apprendre la charrue. Quand vous serez familiarisé avec cette pose, essayez la pose entière, où on baisse les pieds jusqu'au tapis.

Attention

N'exécutez jamais cette pose sans surélever les épaules au moyen de blocs de mousse ou de 3 ou 4 couvertures pliées, la tête étant située plus bas que les épaules.. Ne tentez pas le poirier si vous souffrez d'hypertension ou de faiblesse du haut du dos, du cou ou de la tête. Evitez les poses renversées pendant les règles. Si vous avez les cheveux longs, attachez-les avant d'effectuer les poses renversées.

Nota bene

- Dans les 2 poses, en montant les hanches et le tronc, placez-les au-dessus des épaules.
- Le siège doit être étiré dans la direction opposée aux épaules, le coccyx doit être rentré et les cuisses aussi.
- En cours de pose renversée, ne tournez jamais la tête.
- Respirez normalement pendant la pose, expirez en levant et en abaissant le corps.

Analyse du poirier

Pour une bonne exécution du poirier p. 187, suivez les conseils donnés ci-dessous.

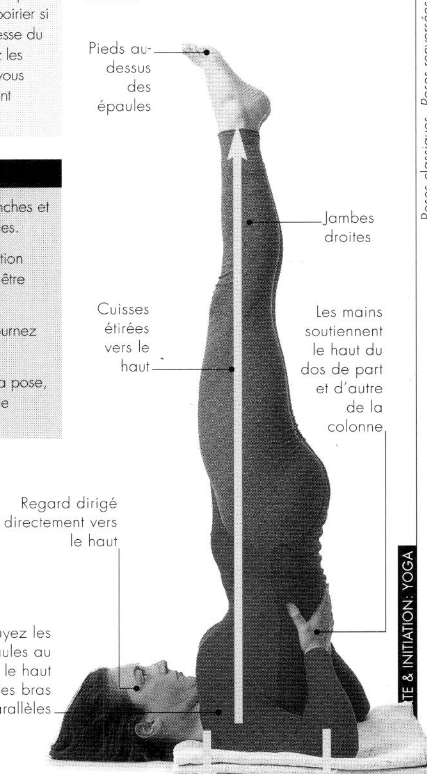

VARIATIONS SUR LE POIRIER

Une fois familiarisé avec le poirier et la charrue, agrémentez vos entraînements avec les poses suivantes, qui sont des variations sur le même thème. Les pages suivantes présentent trois poses parmi les quelque 20 que comporte le cycle **sarvangasana,** série d'asanas basés sur le poirier des pp. 186–187. Enchaînez ces trois poses en ne vous reposant que très brièvement entre elles.

Eka pada sarvangasana

La jambe gauche fermement étirée vers le haut, abaissez la jambe droite au sol ou sur le siège d'une chaise en la maintenant droite. Tenez 10 à15 secondes puis relevez-la pour rejoindre la jambe gauche, les deux jambes se retrouvant tendues pour former un poirier. Répétez l'opération de l'autre côté.

Parsvaika pada sarvangasana

Faites le poirier et ouvrez la jambe droite au niveau de l'articulation de la hanche. Tout en la maintenant droite, abaissez-la au sol à la diagonale, les orteils droits dans l'alignement de l'épaule droite. Tenez 10 à 15 secondes puis relevez la jambe pour reprendre la posture du poirier. Répétez l'opération de l'autre côté.

Supta konasana

1 *Faites le poirier et maintenez-le solidement en soutenant le dos avec les mains. Expirez et pliez les genoux pour prendre la posture de la charrue (cf. p. 186) mais les pieds au sol. Tendez les jambes et écartez-les.*

2 *Lâchez le dos avec les mains et attrapez le gros orteil. Tendez les cuisses et tenez cet étirement 10 à 15 secondes.*

Terminer et repos

Lâchez les orteils, soutenez le dos avec les mains et rassemblez les pieds pour reprendre la posture de la charrue. En expirant, pliez les genoux et refaites le poirier. Les jambes toujours jointes, pliez les genoux et étirez les bras au sol. Appuyez les bras au sol, abaissez les hanches et le tronc au sol et reposez-vous les genoux pliés.

Comment s'y prendre

Expirez avant d'écarter les pieds le plus possible à la fin du point 1. Attrapez le gros orteil entre le pouce et l'index. Si vous n'arrivez pas aux orteils, tenez les chevilles ou les mollets.

Travail sur les poiriers

Ces trois poses nécessitent un niveau assez avancé, ne les essayez donc que lorsque vous maîtriserez bien le poirier et la charrue des pp. 186–187. N'oubliez pas qu'il s'agit d'exercices d'équilibre et qu'en tant que positions renversées, il est important d'être familiarisé avec cette perspective. La meilleure méthode pour apprendre le poirier à une jambe, eka pada sarvangasana, est d'abaisser une jambe sur une chaise, comme pour la charrue. En gagnant de la confiance, abaissez la jambe de plus en plus bas. Pendant toute la pose, soutenez le haut du dos avec les mains.

Attention au positionnement

Pour "eka pada sarvangasana", la jambe étirée vers le haut doit être de face, en direction de la tête, tandis que pour "parsvaika pada sarvangasana", l'étirement de la jambe au sol est diagonal, la jambe droite est ouverte depuis la hanche avant d'être abaissée. Dans les deux postures, les deux jambes doivent être raides comme des piquets, les hanches de niveau : quand la jambe droite descend, relevez la hanche droite et inversement. Pensez à expirer en abaissant et relevant les jambes.

Supta konasana, p. 191, combine l'étirement jambes écartées et la charrue. Comme toutes les poses renversées, elle vise à soulever le tronc et les hanches au-dessus des épaules et à étirer le corps entier. Supta konasana est un étirement extrême mais, comme tous les exercices de cette section, une fois maîtrisé, c'est une posture calmante et reposante.

Les mains tiennent les orteils

Analyse de Supta konasana

La figure ci-dessous représente supta konasana, la posture de la charrue les jambes écartées de la p. 191. La plupart des indications s'appliquent cependant aux trois variations du poirier des pp. 190–191.

EXERCICES SUR LES ÉPAULES

A l'exception de ceux dont le travail fait intervenir les épaules, la plupart d'entre nous ont un mode de vie sédentaire qui favorise les épaules tombantes. Ce chapitre se clôt sur deux exercices : **gomukhasana** ou la posture dite du museau de vache et **garudasana,** torsion du bras, qui étire les épaules, les bras et les mains et ouvre la poitrine.

Museau de vache

1 *Inspirez, pliez le bras gauche dans votre dos vers le haut en rapprochant le plus possible l'avant-bras de la colonne, le dos des doigts contre la colonne et le plus haut possible.*

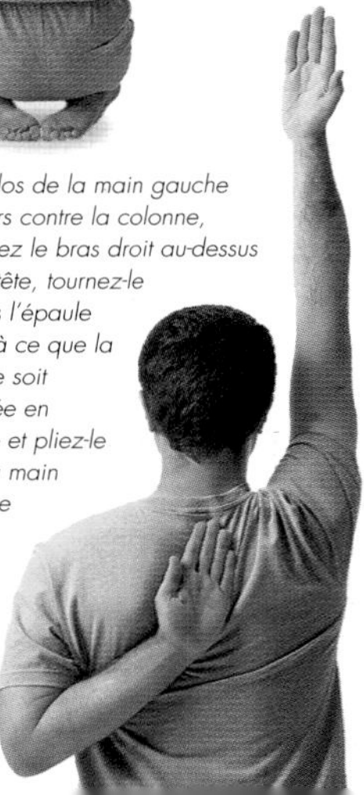

2 *Le dos de la main gauche toujours contre la colonne, soulevez le bras droit au-dessus de la tête, tournez-le depuis l'épaule jusqu'à ce que la paume soit orientée en arrière et pliez-le vers la main gauche*

3 *Tirez le coude gauche vers le bas pour que la main gauche remonte d'autant plus. Tirez de même le coude droit vers le plafond pour faire descendre la main droite puis refermez les mains l'une dans l'autre. Tenez 20 secondes.*

Répéter et terminer

Desserrez les mains, levez le bras droit au-dessus de la tête puis rabaissez les deux bras le long du corps. Répétez ensuite les points 2 et 3 en pliant le bras droit dans le dos vers le haut et en levant le bras gauche.

Torsion des bras

1 *Inspirez et étirez les deux bras le long du corps. En expirant, balancez les bras en avant comme si vous vous enlaciez, le haut du bras droit croisant celui de gauche à hauteur de poitrine.*

2 *Relevez les deux bras en faisant se toucher le dos des mains, les doigts tendus vers le haut, puis rapprochez la main gauche du visage et placez celle de droite légèrement en arrière. Rapprochez ensuite les mains jusqu'à ce que les paumes se touchent.*

Torsion des bras

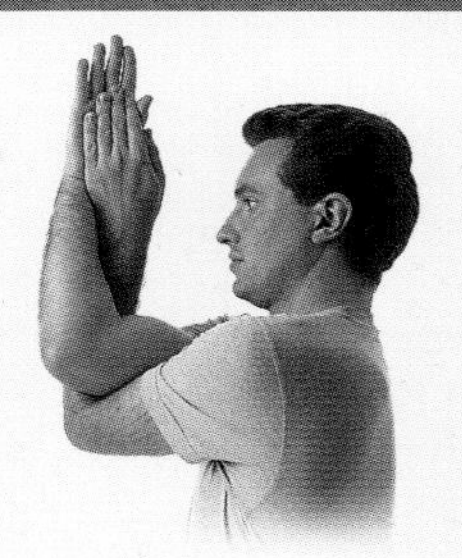

En levant les coudes au point 3, paumes et pouces doivent se toucher, les doigts tendus vers le haut. Si les paumes ne se touchent pas, répétez les points. 1 et 2 en balancant les bras en avant plus rapidement et en serrant plus la poitrine de sorte que les bras se croisent plus haut.

3 *Les épaules basses, relevez les coudes jusqu'à la hauteur des épaules et éloignez-les quelque peu de la poitrine. Tenez 20 secondes environ.*

Répéter et terminer

Lâchez les mains et répétez les points 1 à 3 mais en croisant le haut du bras gauche sur celui de droite à hauteur de poitrine.

Mobilisation des épaules

Etre assis à son bureau, lire dans le train ou encore regarder la télévision sont des activités auxquelles nous consacrons des heures sans nous rendre compte à quel point nos épaules en sont voûtées. De temps à autres, faites ces exercices simples qui étirent les épaules, les bras et les mains. De même que namaste p. 94, partie intégrante de l'étirement latéral, parsvottanasana, les exercices des épaules des pp. 194 à 195 peuvent faire partie intégrante d'une posture aussi bien qu'être effectués isolément. Commencez debout en tadasana (cf. pp. 42–43) ou assis en tailleur en sukhasana (cf. p. 38) ou encore à genoux, en position du héro ou virasana (cf. p. 107). Avant de commencer, concentrez-vous un instant pour étirer la colonne ainsi que le haut du buste horizontalement en élargissant les épaules et en plaquant les omoplates contre les côtes.

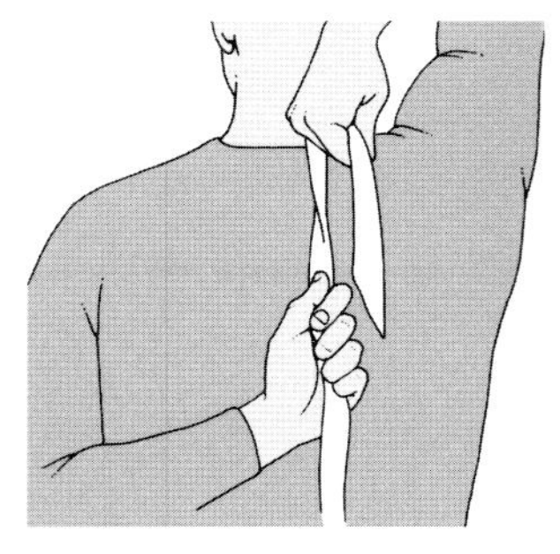

Rapprocher les mains
Si vous avez les épaules raides, il se peut que vous n'arriviez pas à rapprocher le bras de la colonne, n'arrivant à faire se toucher que les seuls doigts. Entraînez-vous à rapprocher les mains progressivement l'une de l'autre à l'aide d'une ceinture.

Le museau de vache

La posture du museau de vache, gomukhasana, tire les épaules en arrière et étire le haut des bras. Il est essentiel de placer la main et le bras du bas le plus centralement possible dans le dos. Le but étant de faire se joindre les deux mains, étirez-la le plus haut possible dans le dos entre les omoplates. Le bras du haut doit également être aligné avec précision. Maintenez-le en arrière et en contact avec le côté de la tête lorsque vous l'étirez (point 2), paume face au dos. Le haut du bras doit rester immobile lorsque vous faites descendre l'avant bras dans le dos. Un coude protubérant sur le côté, comme une aile, entravera la descente du bras.

Torsion du bras

Certains commencent la torsion de la main, garudasana, en croisant simplement le haut des bras, mais cette pose gracieuse sera plus aisée à exécuter si elle est commencée en balancant les bras autour de la poitrine comme dans une accolade. Il vous sera ainsi plus facile de croiser le haut des bras plus haut.

En faisant se toucher les paumes après avoir croisé les bras au point 2, les pouces sont devant le nez, les doigts étirés en arrière derrière eux. En les maintenant à cette hauteur, éloignez-les quelque peu de votre corps tout en gardant les épaules basses : ceci augmentera l'étirement du haut des bras.

EXERCICES DES MAINS

La plupart des mouvements de la main se limitent à la déplacer et à la fermer. Cet exercice les étire, renforce les articulations et les assouplit. Il favorise une bonne circulation dans les doigts par temps froid. Certains pensent qu'il prévient et soigne les douleurs dues à un mouvement répété ainsi que l'arthrite bénigne.

Entrelacer les doigts

1 *En fermant les mains devant vous, entrelacez les doigts de sorte que le pouce droit soit en haut.*

2 *Tournez les mains fermées vers l'extérieur et étirez les bras vers l'avant.*

3 *Sans défaire l'entrelacement, étirez les bras au-dessus de la tête puis vers l'arrière de sorte que les bras, de part et d'autre de la tête, effleurent les oreilles.*

Répéter et repos

Répétez les points 1 et 2 mais cette fois-ci en entrelacant les doigts de sorte que le pouce gauche soit en haut.

Torsion des doigts

1 *Les deux mains parallèles à la poitrine, paumes vers le bas et avec le bout des majeurs qui se touchent, tournez la paume de la main gauche vers le haut. Ecartez l'index et le petit doigt des deux mains puis soulevez les deux doigts centraux de la main gauche tandis que vous abaissez ceux de main droite. Rapprochez les mains en glissant le petit doigt de la main droite sur l'index de la main gauche et l'index de la main droite sur le petit doigt de la main gauche.*

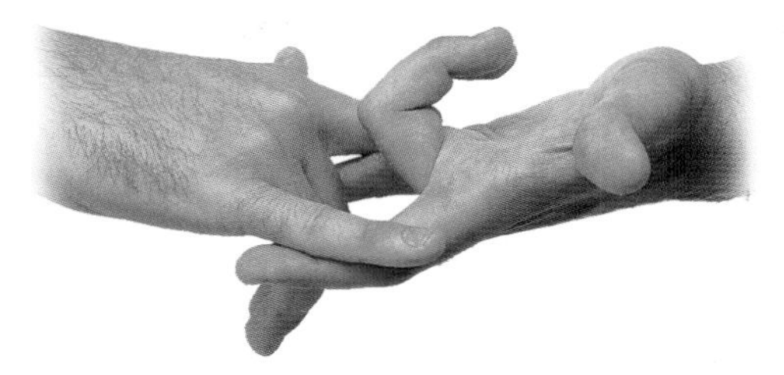

2 *Tournez la main gauche vers vous et tendez les deux doigts centraux de la main gauche au-dessus de l'articulation de l'index de droite. Levez le pouce droit et appuyez-le sur le bout des deux doigts centraux. Observez une pause pour ouvrir les paumes.*

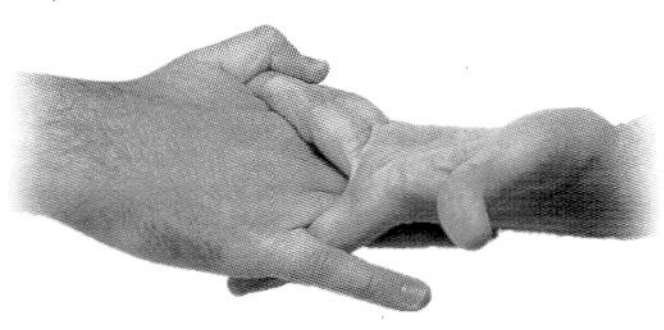

3 *Tendez à présent les deux doigts centraux de la main droite dans la direction opposée à vous et coincez le pouce gauche sous leur pointes. Pour y parvenir, il se peut que vous deviez quelque peu desserrer les mains en agrandissant le trou central. La torsion des doigts est réussie si vous pouvez regarder à travers le trou formé entre les index et les majeurs.*

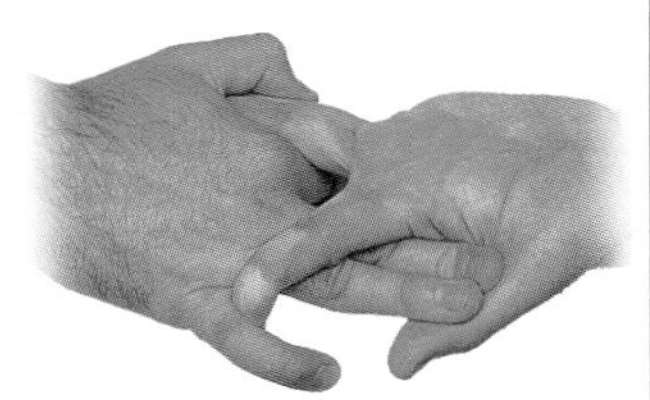

Flexion des mains

Nous nous servons constamment de nos mains, une merveille de flexibilité, mais ne les entraînons que rarement. Pour poser ou ramasser des objets, les ensembles musculaires sont contractés et relâchés, mais peu de nos mouvements quotidiens étirent les doigts ou les plient vers l'extérieur, étirent le poignet en arrière ou étirent les paumes. Comme toute partie du squelette, les mains ont des articulations qui, pour rester souples, ont besoin d'exercice. Suite à une blessure, les muscles doivent retrouver leur souplesse. Les exercices des mains et des poignets peuvent de plus réduire les effets de pathologies des articulations telles que l'arthrite et peuvent même avoir un effet préventif.

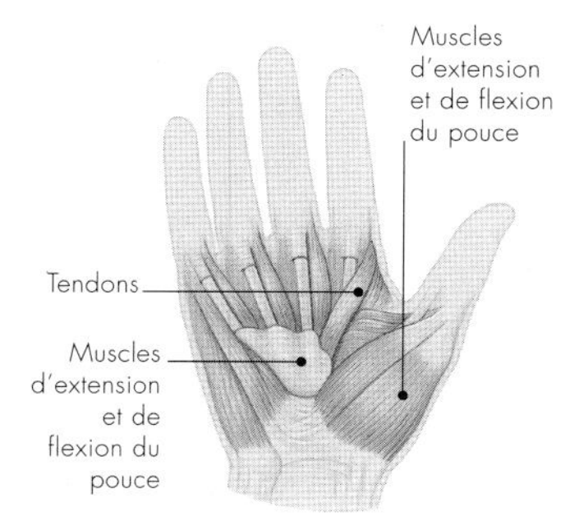

Les muscles de la main
Ce sont plus de 40 muscles, dont certains sont minuscules, qui permettent de bouger les doigts, le pouce et le poignet et donnent à la main son extraordinaire flexibilité.

Muscles de flexion de la main

Plusieurs poses de yoga comportent des exercices des mains. Dans l'étirement latéral p. ex. (parsvottanasana pp. 94 à 97), les mains font la prière dans le dos. Les paumes et les doigts sont étirés en largeur et en longueur de même que les poignets quand les mains sont tournées vers l'intérieur. Les exercices des épaules pp. 194 à 97 étirent aussi les mains. A vos heures perdues, pensez à exercer vos mains.

Torsion des doigts

S'il ne vous pose pas de difficulté, serrez les doigts au début pour que la marge de manoeuvre soit moindre. Cet exercice est indiqué par temps froid car il stimule la circulation dans les doigts.

Paumes étirées vers le haut

Bras tendus vers le haut

Coudes enfoncés, bras tendus

Etirez la colonne vers le haut, cage thoracique placée normalement

Soulevez le tronc depuis les hanches

Jambes croisées en sukhasana

Souplesse des doigts

L'exercice des doigts entrelacés de la p. 198 qui peut être effectué en position debout ou agenouillée est cependant souvent intégrée à sukhasana, la position assise en tailleur représentée p. 38. Au lieu de poser les mains sur les genoux, entrelacez les doigts, inspirez et étirez les bras vers l'avant puis vers le haut comme représenté ci-contre. Ne négligez pas l'étirement vers le haut en sukhasana et observez les instructions ci-contre.

PLANIFIER SES SESSIONS

Ce dernier chapitre se propose de vous aider à planifier vos futures sessions de yoga sur la base des 50 poses classiques illustrées et décrites pas à pas dans ce livre. Les deux pages qui suivent vous donnent des conseils dans l'élaboration d'un programme qui convienne à vos besoins personnels. Sont ensuite présentés trois courts exemples de programmes. Essayez le premier programme une fois que, maîtrisant les exercices pour débutants, vous serez prêts à passer à ceux qui présentent un niveau de difficulté légèrement supérieur (cf. légende des symboles p. 206). Ne tentez le second programme que lorsque vous vous sentirez prêt à aborder des postures plus difficiles. Le chapitre se clôt enfin sur une courte session prévue pour les moments de fatigue ou de stress.

Programme sur mesure

La règle d'or du yoga est de toujours progresser à son propre rythme. Commencez par les postures de débutants du chapitre 3 et, si vous vous entraînez régulièrement et en suivant les instructions données pour chaque exercice, il n'y a rien d'inquiétant à préférer s'en tenir à ces neuf poses pendant quelques semaines jusqu'à ce que vous les maîtrisiez parfaitement.

Poses debout

Voici les 5 postures de base, devant être exécutées dans l'ordre donné. Tenez-les d'abord 10 à 15 secondes de chaque côté. Respirez normalement par le nez.

1 Triangle	pages 46–47
2 Angle latéral étendu	pages 50–51
3 Guerrier II	pages 78–79
4 Guerrier I	pages 82–83
5 Etirement latéral	pages 94–95

Elargir son répertoire

Vous allez rapidement vouloir enrichir vos sessions de nouvelles postures, ce en quoi le présent ouvrage souhaite vous aider de la facon la mieux adaptée. Les poses du chapitre 4 sont regroupées en différents types d'exercices : poses debout, assises, au sol, etc. Pour chacune est indiqué le niveau de difficulté. Les débutants commencent généralement par les poses debout, mais vous pouvez essayer une pose assise ou au sol telle que la pose du chien pp. 130–131 ou même la torsion en tailleur pp. 158–159. Il y a peu de règles en yoga, pour la simple raison que les corps sont tous différents. Si toutefois vous êtes très souple et que vous souhaitez tenter une pose plus difficile, ne vous croyez pas obligé d'attendre. Il est toutefois bon de commencer par une pose simple.

Temps de repos

Entre les poses, les muscles et les articulations ont besoin de se remettre de l'étirement, la respiration doit revenir à la normale et la pensée se recentrer. Après une pose debout, revenez en tadasana (pp. 42–43), après une pose assise, en dandasana (p. 106). Reposez-vous sur le dos à la fin d'une pose au sol, les genoux sur la poitrine et les mains refermées sur eux. Après une torsion en arrière, asseyez-vous sur les talons. Détendez-vous les jambes repliées après le poirier.

Insérez dans votre programme vos postures préférées, mais pensez à varier les poses. Commencez par des poses debout, qui raffermissent les muscles et stimulent la circulation, et continuez avec des poses apaisantes assises ou au sol qui étirent bien les muscles et les articulations. Travaillez la colonne avec une torsion assise énergisante suivie d'une torsion en arrière. Gardez les poses nouvelles et peu connues pour la fin et terminez par le poirier et la charrue (pp. 186–87). Finalement, reposez le corps et la pensée en position du cadavre.

SECOND NIVEAU

Ces quatre pages présentent un programme de postures du second niveau. Elles sont faisables à tous les stades mais leur maîtrise parfaite demande une certaine souplesse, surtout au niveau des hanches, car il s'agit surtout de poses assises. Cette souplesse s'acquiert au bout de 3 à 4 mois de yoga. Vous pouvez aussi vous aider de blocs de mousse ou de couvertures pliées. C'est un programme d'une heure environ mais allez à votre rythme. Votre but doit être une session hebdomadaire au minimum.

Degrés de difficulté

Dans chaque catégorie, les poses sont d'un degré de difficulté croissant signalé par un symbole

DEBUTANT pour les novices

INTERMEDIAIRE légèrement plus difficile. Le chap. 3 a été exécuté au moins 1 fois

DIFFICILE poses plus difficiles. Convient pour ceux qui ont acquis une certaine souplesse.

1 Assis en tailleur
sukhasana avec parvatasana,
pages 38 et 201

2 Etirement des jambes I
utthita hasta padangusthasana,
page 70

3 Etirement des jambes II
utthita hasta padangusthasana II,
page 71

4 Le cordonnier
baddha konasana,
page 110

5 Etirement jambe sol I
supta padangusthasana I,
pages 146–147

6 Etirement jambe sol II
supta padangusthasana II,
page 147

7 Angle retenu
upavistha konasana,
page 111

8 Tête genou
janu sirsasana,
pages 114–115

9 Pose aux trois membres
triang mukhaikapada paschimottanasana,
pages 118–119

10 Inclinaison avant assise
paschimottanasana,
pages 122–123

11 La sirène I
Bharadvajasana I,
pages 162–163

12 Le sage
Marichyasana I,
page 166

13 Poirier et charrue
salamba sarvangasana et halasana,
pages 186–187

14 Torsion de l'abdomen
jathara parivartanasana,
pages 138–139

15 Le cadavre
savasana I,
pages 64–65

Focalisation sur les poses assises

Chaque session doit commencer par une pose passive pour que la pensée s'apaise et se concentre. Ce programme commence par la position assise en tailleur, une position reposante dans laquelle la concentration est consacrée à l'étirement des bras en l'air en parvatasana. La pose debout suivante est revigorante, elle étire et raffermit les jambes. En exécutant le programme, reposez-vous s'il le faut quelques secondes entre les étirements allongés, les genoux contre la poitrine. Entre les étirements, concentrez-vous sur l'ouverture des hanches. La seconde partie de la session est consacrée au dos, avec des inclinaisons avant et torsions.

Ne vous surpassez pas et n'hésitez pas à recourir à des supports. Ne faites jamais le poirier (pose 13) sans que les épaules et les bras ne reposent sur des couvertures pliées, pour que la tête soit plus basse qu'eux.

1 Assis en tailleur

Commencez le programme du second niveau dans le calme en sukhasana (p. 38) les bras étirés au-dessus de la tête en parvatasana (p. 201).Tenez la pose 20 secondes env. sans relâcher l'étirement vers le haut.

2 & 3 Etirement des jambes

Utthita hasta padangusthasana I et II (pp. 70–71) étirent les articulations de la hanche et réveillent les muscles des hanches et des jambes. Votre but doit être de tenir la pose 1 minute.

4 Le cordonnier

Assis le dos contre un mur, détendez-vous en baddha konasana (p. 110) en tenant les pieds dans les mains. Vous pouvez tenir la pose plus d'une minute.

5 & 6 Etirement jambe au sol

Revenez aux étirement des jambes – supta padangusthasana I et II (p. 146–147) exécutés allongé sur le tapis. Levez les jambes l'une après l'autre en maintenant l'étirement pendant 1 minute maximum. Finissez en vous reposant quelques secondes dans une position calmante.

7 Angle retenu
L'étirement des jambes upavistha konasana (p. 111) agit sur les deux jambes vers l'extérieur. Pensez à expirer en vous penchant en avant. Tenez 20 secondes et finissez en position de repos.

8 Tête-genou
Janu sirsasana (p. 114–115) est une position qui diffère des deux précédentes. Exécutez-la sur la droite puis sur la gauche. Tenez 30 secondes environ de chaque côté. C'est une pose reposante, détendez-vous donc en l'effectuant.

9 Pose aux trois membres
Maintenez les hanches de niveau en étirant le tronc en avant en triang mukhaikapada paschimottanasana (p. 118–119). Cette seconde inclinaison en avant étant une pose relaxante, tenez-la 30 secondes de chaque côté.

10 Inclinaison avant assise
Clotûrez cette série de 3 inclinaisons en avant avec paschimottanasana (p. 122–123), le tronc étiré en avant, les deux jambes tendues. Essayez de tenir cette pose reposante 1 minute.

11 La sirène I
Après cette succession d'inclinaisons en avant, enchaînez sur Bharadvajasana I (pp. 162–63), en tordant la colonne sur la droite puis la gauche. Tenez chaque torsion 30 secondes maximum.

12 Le sage
Marichyasana (p. 166) procure au dos une agréable sensation d'étirement. Tenez-la 20 secondes minimum de chaque côté puis reposez-vous quelques secondes à genoux.

13 Le poirier et la charrue
Deux poses renversées, salamba sarvangasana et halasana (pp. 186–187), à tenir 3 minutes environ., ont un effet revigorant.

14 Torsion de l'abdomen
Dans cette dernière pose active, jathara parivartanasana (pp. 138–39), les jambes sont inclinées d'un côté puis de l'autre, 20 secondes respectivement.

15 Le cadavre
Pour finir, reposez-vous 10 minutes en position du cadavre (pp. 64–65).

TROISIÈME NIVEAU

Ce chapitre comporte certaines des poses de base du chapitre 3, p. ex. le triangle ou l'inclinaison en avant à genoux. La raison en est que le corps, et en particulier les jambes, doit être fortifié pour les poses plus difficiles. Les poses debout en début de chaque programme sont spécialement choisies pour préparer à l'étirement. C'est un programme consacré à l'énergisation : les poses standard du début réveillent le corps cependant que les torsions en arrière stimulent la pensée et le corps. L'accent est mis sur les torsions en arrière qui sollicitent la colonne en les étirant de facon extrême. L'ensemble devrait prendre 75 minutes environ mais il est important de prendre son temps. Répétez ce programme au moins une fois par semaine.

1 Le chien
adho mukha svanasana,
pages 130–131

2 Le triangle
utthita trikonasana,
pages 46–47

3 Le guerrier II
virabhadrasana II,
pages 78–79

4 Le guerrier I
virabhadrasana I,
pages 82–83

5 Inclinaison avant debout
uttanasana I,
page 75

6 Le portail
parighasana,
pages 134–135

7 Le héros
virasana,
page 107

8 Le chameau
ustrasana,
pages 178–179

9 Le pont
sarvangasana setu bandha,
pages 170–171

10 La sauterelle
salabhasana,
pages 174–75

11 L'arc
dhanurasana,
pages 182–183

12 Torsion en tailleur
sukhasana twist,
pages 158–159

13 Inclinaison avant à genoux
page 54

14 Le cadavre
savasana I,
pages 64–65

Focalisation sur les torsion du dos

Bien qu'il s'agisse ici d'une session stimulante, commencez-la assis pendant quelques minutes en tailleur ou en pose du héros, pour apaiser la pensée. On y compte des poses difficiles mais toutefois entrecoupées de postures plus reposantes comme les inclinaisons en avant.

La seconde partie du programme est consacrée à la colonne avec une suite d'inclinaisons en arrière qui allongent le tronc entier, de l'aine au cou, et qui étirent la colonne. Cet étirement ouvre la poitrine et l'avant du corps. Les inclinaisons en arrière et les torsions sont un étirement extrême pouvant nécessiter un bref repos assis sur les talons ou allongé au sol les genoux ramenés sur la poitrine, les mains autour des tibias. Comme toujours, clôturez le programme en vous reposant de 5 à 10 minutes dans la pose du cadavre, ce qui n'estompera en rien l'effet revigorant de ce programme.

1 Le chien

Commencez ce programme par adho mukha svanasana (p. 130–131) qui raffermit les muscles, étire le corps et apaise le coeur. Tenez une minute maximum.

2 Le triangle

Utthita trikonasana (pp. 46–47) fortifie les jambes. Tenez 20 secondes maximum de chaque côté.

3 Guerrier II

Une pose de réveil debout qui se poursuit avec virabhadrasana II (pp. 78–79). Tenez 20 secondes maximum de chaque côté.

4 Guerrier I

L'étirement est important dans ce virabhadrasana I (pp. 82–83).Tenez 15 secondes maximum de chaque côté.

5 Inclinaison avant debout

Dernière pose debout de ce programme, uttanasana I (cf. p. 75) ralentit le rythme cardiaque et a un effet calmant sur les nerfs. L'inclinaison part des hanches, les jambes restent tendues. Tenez une minute ou plus en respirant spar le nez.

6 Le passage à niveau

Parighasana (pp. 134–35) est la première d'une série de postures à genoux et assises au coeur de ce programme. Les deux côtés du corps sont étirés l'un après l'autre. Tenez l'étirement 10 secondes de chaque côté.

7 Le héros

Effectuée correctement, c'est-à-dire les os du siège par terre entre les pieds, virasana (p. 107) étire les pieds, les chevilles et les genoux. C'est une pose relaxante devant être tenue plus d'une minute.

8 Le chameau

La première d'une série d'inclinaisons en arrière, ustrasana (p. 178–179) étire la colonne vers le haut et l'arrière. Tenez 10 secondes maximum puis reposez-vous assis sur les talons.

9 Le pont

Cette seconde inclinaison en arrière, sarvangasana setu bandha (p. 170–171),. arque le dos. Tenez la pose 10 secondes maximum puis reposez-vous les jambes pliées, les pieds sur le tapis.

10 La sauterelle

Dans cette torsion en arrière (p. 174–175), où les jambes et le haut du corps sont soulevés, la colonne est étirée à l'extrême. Tenez 10 secondes maximum.

11 L'arc

Dhanurasana (pp. 182–183), dernière torsion en arrière, exerce les articulations de la colonne. Tenez 10 secondes maximum.

12 Torsion en tailleur

La torsion sukhasana (pp. 158–59) fait effectuer à la colonne une rotation. Tenez 15 secondes maximum.

13 Inclinaison avant à genoux

Cette inclinaison en avant simple (p. 54) repose le dos de la dernière torsion. Tenez 2 minutes ou plus.

14 Le cadavre

5 à 10 minutes de relaxation totale en savasana I (pp. 64–65) sont très importantes après l'effort demandé par ce programme.

EN CAS DE STRESS ET FATIGUE

Cette courte session est un excellent remontant après une dure journée de travail, en cas de fatigue, de stress ou d'anxiété ou tout simplement pour prendre soin de soi. C'est un enchaînement simple de 4 postures relaxantes, indiqué pour lutter contre toute sorte de fatigue grâce à son effet rafraîchissant sur la pensée et le corps en n'investissant qu'un effort minimum. Le programme est efficace car il s'agit de poses passives, c'est-à-dire que même si un effort d'étirement, de levage ou simplement de concentration de la pensée est exigé, il n'y a pas de mouvement actif ou d'étirement intense. Le temps d'exécution est évalué à 20–25 minutes, mais prenez le temps nécessaire pour vous détendre dans chaque pose.

1 Position assise en tailleur

Apaisez vos pensées en adoptant la position assise en tailleur sukhasana (p. 38) pendant une minute ou deux, les yeux fermés. Soutenez le dos en vous asseyant sur un bloc de mousse, appuyé contre un mur. Respirez normalement par le nez et écoutez le rythme de votre respiration.

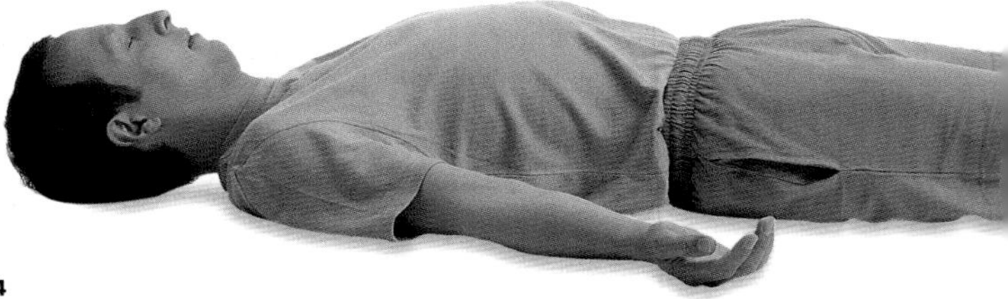

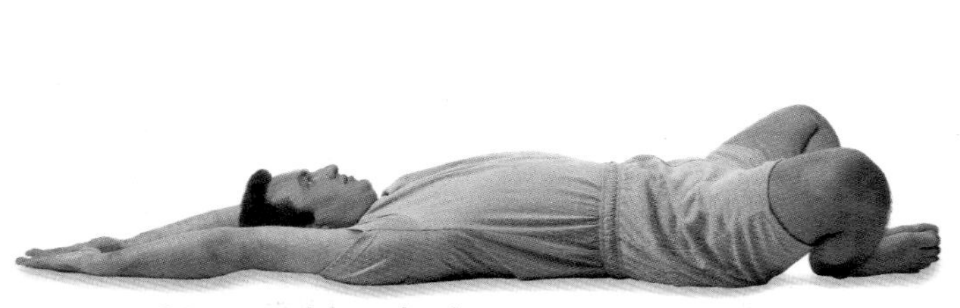

2 Pose au sol du cordonnier
Reposez le dos en supta baddha konasana (pp. 126–127). Cette pose est apaisante pout la pensée et relaxante pour le corps. Elle est particulièrement indiquée aux femmes pendant les règles.

3 Etirement des jambes
Pour soulager les douleurs aux jambes, allongez-vous sur le dos et tendez les jambes en urdhva prasarita padasana (pp. 62–63) en les appuyant contre un mur. Cette pose soulage aussi le mal de dos.

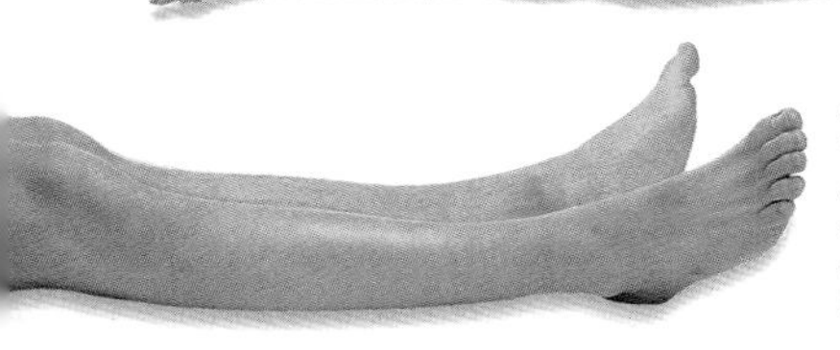

4 Pose du cadavre
Toute session se clôt par la pose du cadavre (p. 64–65). Le corps est au repos complet. Inspirez normalement mais expirez longuement et lentement.

GLOSSAIRE

Asana (prononcer "asna") pose ou posture de yoga.

Etendre Etendre une partie du corps signifie la tendre ou l'étirer.

Fléchir Fléchir une partie du corps signifie contracter les muscles pour la plier.

Aine C'est le sillon situé au bas de l'abdomen et en haut de la cuisse. Ces deux sillons remontent en partant du centre du pubis.

Hatha yoga Voie menant à l'unité avec l'univers ou samadhi, que l'on atteint par la pratique des asanas, la respiration et la purification ; école classique de yoga qui a évolué il y a quelque 1.000 ans.

Iyengar yoga Ecole ou style de yoga fondé par le professeur indien B.K.S. Iyengar.

Mantra Parole ou sonorités sacrées telles que "om", qui favorisent la concentration.

Pose passive Posture avec un étirement mais pas de changement de position.

Pranayamas Techniques énergisantes comprenant des exercices spéciaux de respiration.

Pratyahara Contrôle des sens.

Tronc Partie centrale du corps à l'exclusion de la tête, des bras et des jambes. Autre nom du torse.

Yoga Unité ou union.

Les asanas

NOM SANSCRIT	NOM FRANCAIS
adho mukha svanasana	le chien
anantasana	pose éternelle
ardha chandrasana	demi-lune
ardha navasana	demi-navire
baddha konasana	le cordonnier
Bharadvajasana	la sirène
chaturanga dandasana	pose du baton aux quatre membres
dandasana	le bâton
dhanurasana	l'arc
eka pada sarvangasana	poirier à une jambe
garudasana	torsion du bras
gomukhasana	museau de vache
halasana	la charrue
janu sirsasana	tête-genou
jathara parivartanasana	torsion de l'abdomen
Marichyasana	pose du sage
parighasana	le portail
paripurna navasana	navire avec rames
parivrtta trikonasana	triangle renversé
parsvaika pada sarvangasana	poirier à une jambe en diagonale
parsvottanasana	étirement latéral
parvatasana	doigts entrelacés
paschimottanasana	inclinaison avant assise
prasarita padottanasana	étirement jambes écartées
salabhasana	la sauterelle
sarvangasana	le poirier
sarvangasana setu bandha	le pont
savasana	le cadavre
sukhasana	assis en tailleur; torsion en tailleur
supta baddha konasana	cordonnier assis
supta konasana	charrue jambes écartées
supta padangusthasana	étirement jambes au sol
supta tadasana	pose allongée de la montagne
supta virasana	héro assis
tadasana	pose assise de la montagne
triang mukhaikapada paschimottanasana	pose aux trois membres
upavistha konasana	étirement jambes ouvertes
urdhva prasarita padasana	étirement maximum des jambes
ustrasana	le chameau
utkatasana	la chaise
uttanasana	inclinaison avant debout
utthita hasta padangusthasana	étirements des jambes
utthita parsvakonasana	angle latéral étendu
utthita trikonasana	le triangle
virabhadrasana	le guerrier
virasana	le héros
vrksasana	l'arbre

AUTRES TITRES DE LA SÉRIE:

€ 4.99 SEULEMENT

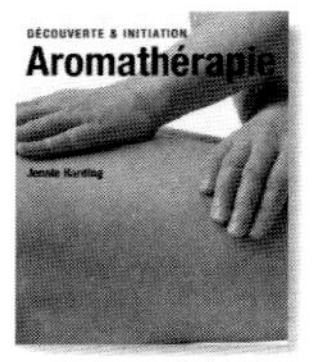

Aromathérapie
Jennie Harding
ISBN 3-8228-2484-4

QiGong
Angus Clark
ISBN 3-8228-2496-8

Rêves
Caro Ness
ISBN 3-8228-2478-X

Ayurvéda
Gopi Warrier, Dr. Harish
Verma & Karen Sullivan
ISBN 3-8228-2490-9

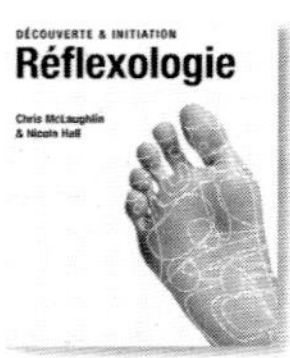

Réflexologie
Chris McLaughlin &
Nicola Hall
ISBN 3-8228-2487-9

Shiatsu
Cathy Meeus
ISBN 3-8228-2493-3

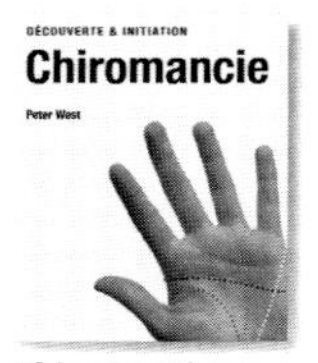

Chiromancie
Peter West
ISBN 3-8228-2502-6

Reiki
Anne Charlish &
Angela Robertshaw
ISBN 3-8228-2499-2

Tarot
Annie Lionnet
ISBN 3-8228-2481-X

ADRESSES UTILES

Fédération Française de Yoga
11, passage Saint Pierre Amelot
75011 Paris

Association Satyanandashram
association/yoga-nidra
Tel: 01.47.70.23.60
11, cité Trévise
75010 PARIS

Ayur Védic Médecine
formation / yoga, ayur véda
Tel: 05.49.74.50.60
BP 12 86140 SCORBE

Centre de formation Do-In, Fleurs de Bach, Médecine chinoise, Naturopathie, Shiatsu, Yoga
nadine.daniel@wanadoo.fr
Tel: 04 90 86 90 95
13, avenue Louis Guignard
84000 AVIGNON

Ecole Normale de Yoga
formation/yoga
Tel: 01.46.26.56.95
22, rue Maurice-Berteaux
92070 SEVRES

Fédération Française de Hatha-yoga
association/yoga
Tel: 01.45.44.02.59
50, rue Vaneau
75007 PARIS

Fédération Nationale des Enseignants du Yoga
association / yoga
Tel: 01.42.78.03.05
3, rue Aubriot
75004 PARIS

Maison du yoga
association / yoga
Tel: 01.48.06.01.23
68, rue de la Folie-Méricourt
75011 PARIS

Tapovan Adi Shakti
association / yoga
Tel: 01.45.77.90.59
9, rue Guttenberg
75015 PARIS

Yoga Traditionnels
Tel: 04.90.09.65.27
65, rue des Cèdres
84120 PERTUIS

www.nature-et-yoga.com
www.yogatradition.com

INDEX

incantation 8
inclinaison avant assise 122-125, 207, 209
inclinaison debout en avant 55-57 75, 76-77, 211, 212
inclinaison en avant 54-57
inclinaison en avant à genoux 54, 56, 211, 213
Inde 18, 19
instructeurs 9
Iyengar, B. K. S. 17, 18-19

REMERCIEMENTS

L'éditeur tient à adresser ses remerciements à Deborah Fielding
pour sa relecture et ses commentaires sur le texte

Nos remerciements aussi à Louise Beglin, Carla Carrington, Linda de Comarmond, Fiona Grantham, Kay Macmullan, Ben Morgan, Maria Rivans, David Ronchetti, et Arup Sen de nous avoir aidés pour la photo.
Merci à Dancia International, Londres de nous avoir gracieusement prêté des accessoires.

CREDITS PHOTOS

Nous nous sommes efforcés de retrouver les détenteurs des droits d'auteur pour obtenir leur autorisation. En cas d'éventuelles omissions, l'éditeur s'excuse et s'engage à effectuer toute modification nécessaire pour les impressions ultérieures.

The Bridgeman Art Library/ British Library, London, UK 16t/ British Museum, London, UK 14b; **Corbis**/ Morton Beebe 18t/ Alison Wright 15t; **The Image Bank** 20; **Rex Features**/ The Times 8, 18b, 19t; **Tony Stone Images**/ Laurie Campbell 30b/ Davies and Starr 14t/ Darrell Gulin 58t/ Donald Johnston 42t.